Car nos cœurs sont hantés

Car nos cœurs sont hantés

Erik L'Homme

Gallimard Jeunesse / Rageot Éditeur

Le papier de cet ouvrage est composé de fibres naturelles, renouvelables, recyclables et fabriquées à partir de bois provenant de forêts plantées et cultivées expressément pour la fabrication de la pâte à papier.

Maquette : Didier Gatepaille

ISBN : 978-2-07-064440-7
Loi n° 49-956 du 16 juillet 1949
sur les publications destinées à la jeunesse
Dépôt légal : février 2012
N° d'édition : 237534
Achevé d'imprimer sur Roto-Page
par l'imprimerie Grafica Veneta S.p.A.
Imprimé en Italie

Prologue

13, rue du Horla – Troisième étage / Appartement de mademoiselle Rose

– Tu as une tête horrible, sorcière. Tu aurais dû dormir, au lieu de faire les cent pas toute la nuit.

– Ce que je fais de mes nuits ne te regarde pas, démon. Quant à ma tête, si elle te déplaît, je peux toujours ranger dans un placard le miroir qui te sert de prison, comme ça tu ne la verras plus !

– Je retire ce que j'ai dit à propos de ta tête. Je m'ennuie déjà à mourir, alors quitter le mur de ta cuisine pour l'obscurité d'une étagère… Je préfère ne pas y penser !

– Penses-y, au contraire. Ça t'évitera des problèmes. Je ne suis pas d'humeur à supporter tes sarcasmes.

– J'en prends bonne note, sorcière. Alors ?

– Alors quoi ? Tu veux toujours savoir ce que j'ai fait de ma nuit ?

– Oh, oui ! Nous vivons un moment historique : la débâcle de l'Association. Je ne veux pas en perdre une miette !

– Débâcle ?

– Des Anormaux surexcités partout en ville, des vampires qui s'allient avec des loups-garous, des chamanes qui courent la banlieue, la disparition – que dis-je, la fuite ! – de Walter, et puis le meurtre du Sphinx. Tu appelles ça comment ?

– Le placard n'est pas une mauvaise idée, en fait…

– D'accord, je retire le mot « débâcle » ! Parlons plutôt de mauvaise passe. Allez, sorcière, dis à ton démon préféré ce que tu as sur le cœur… C'est toujours Jasper, pas vrai ? Tu t'obstines à le croire coupable de la mort du Sphinx ?

– Cette attente me ronge ! Presque autant que l'incertitude… Moi qui étais la patience incarnée ! Impossible de rester à mon poste, à côté du bureau désespérément vide de Walter.

– Alors tu es montée ici.

– Non. Je suis descendue. Jusqu'à l'armurerie.

– Préférant la présence d'un mort à l'absence d'un vivant !

– Tu ne crois pas si bien dire, démon. Plongée dans la pénombre, l'armurerie ressemble à un tombeau. Les énormes papillons orphelins qui volettent, affolés, au milieu des rayonnages, ont des airs de chauves-souris.

– Un vrai pèlerinage. Comme c'est touchant !

– Je me suis promenée parmi les inventions et les machines infernales du Sphinx. Je voyais sa silhouette massive fureter dans cette salle dont il a été le gardien pendant vingt-cinq ans. J'avais l'impression que c'était hier…

– Tu viens de décrire l'éternité. Et je sais de quoi je parle !

– Pour moi, l'éternité ressemble davantage à un moment qui s'étire à l'infini.

– Peut-être. Après tout, chacun appréhende l'éternité à sa manière. Comment le Sphinx est-il arrivé rue du Horla ? Si ce n'est pas un secret d'État...

– Ça en serait un que ça ne changerait rien. Emprisonné dans ce morceau de métal et de verre, à qui irais-tu répéter les confidences que je te fais ? Le Sphinx a débarqué, un jour, de nulle part. Il était simplement recommandé par le bureau de l'Association en Suisse. L'antenne française se réorganisait avec l'arrivée de Walter. J'étais la plus ancienne, celle qui avait connu l'époque d'Edgar, son prédécesseur.

– Edgar. Ridicule ! Ça sonne comme un nom de vampire. Je n'en ai jamais entendu parler.

– Ça n'a rien d'étonnant. Le slogan d'Edgar était : « pas de vague ». Son attentisme a d'ailleurs été récompensé puisqu'il a été promu au bureau de New York. Au début, avec son obsession pour la discrétion, Walter semblait suivre le même chemin. Je me trompais : les opérations de terrain, au contraire, se sont intensifiées. Et le recrutement s'est accéléré. D'une gestion passive de l'Association, nous avons rapidement évolué vers une organisation active. Réparer les incidents n'était plus une priorité ; nous avons œuvré pour les éviter.

– Comment ?

– En rencontrant les Anormaux et en tissant des liens avec les plus influents d'entre eux. En faisant comprendre aux agités que calme et discrétion étaient des qualités que nous appréciions.

– C'est le Sphinx qui se chargeait du... contact ?

– Walter gérait le recrutement des futurs Agents. Je travaillais à l'administration et à la résolution des crises. Le Sphinx occupait le terrain et restait proche des Créatures. Notre trio fonctionnait bien ! Si les interventions directes du Sphinx sont devenues de plus en plus rares, si Walter et moi-même sortions de moins en moins de notre bureau, quelque chose nous soudait – au-delà de tout ce que nous avions vécu et partagé.

– Quoi donc, sorcière ?

– Une forme de paix intérieure, démon. La certitude que nous faisions du bon travail et que les êtres malfaisants comme toi se tenaient tranquilles.

– Malfaisant. Comme tu y vas ! Ce n'est quand

même pas ma faute si je suis un démon ! J'obéis à ma nature, c'est tout.

– Comme tu le disais, chacun ressent les choses à sa manière.

– Parle-moi encore du Sphinx.

– Il y aurait trop à dire, démon.

– Tu étais amoureuse de lui ?

– Hein ?

– De Walter, peut-être ?

– Qu'est-ce que tu racontes ?

– C'est inévitable. Je ne suis pas seul à dépendre de ma nature ! Une femme est conçue pour tomber amoureuse.

– Je vois que tu t'y connais en psychologie humaine !

– Pas d'ironie, sorcière. J'ai touché juste.

– Quoi qu'il en soit, ça ne te regarde pas.

– Mais ça m'intéresse au plus haut point !

– Est-ce que tu sais, démon, que notre monde se divise en deux catégories de créatures ?

– Je l'ignorais. Dis-m'en plus !

– Il y a celles qui sont dans les miroirs et celles qui sont devant. Généralement, celles qui sont dedans se tiennent à carreau sinon celles qui sont devant les enferment dans un placard.

– Ah ah ! Très drôle.

– Je ne plaisante pas, démon. D'autant que l'équipe d'Auxiliaires que j'ai envoyés avenue Mauméjean ne donnent aucune nouvelle.

– Cela voudrait dire…

– Qu'ils ont eu un problème.

– Jasper ?

– Ou le chamane sibérien. Dans tous les cas, je vais devoir envoyer un commando de secours.

– Pourquoi tu ne me laisses pas te servir d'éclaireur ? Libère-moi et j'irai chercher, avec célérité et loyauté, la réponse aux questions qui te taraudent !

– Loyauté, démon ? Un mot que toi et les tiens connaissez bien mal ! J'ai très envie de t'envoyer méditer dessus dans la pénombre propice d'un placard…

– Inutile, c'était une mauvaise idée, je le reconnais ! Au fait, sorcière, je t'ai dit que je te trouvais très en beauté ce matin ? Un nouveau maquillage, une crème de jour, un sortilège ? Non, reviens ! Tu sais bien que je n'aime pas rester seul ! Je m'ennuie tellement…

1

La sonnerie du réveil me tire brutalement d'un sommeil lourd comme une blague de Walter. Qu'est-ce qui m'a pris de régler le volume si fort ?

Je me redresse dans mon duvet.

La corne de brume qui m'arrache les tympans ne semble pas déranger Nina qui dort toujours, roulée dans la couette comme une endive dans une tranche de jambon (où est-ce que je vais chercher des images pareilles ? C'est sûrement la faim qui me tenaille – ou qui me pince : en matière culinaire, je ne suis pas regardant sur le choix des outils).

Je jette un regard embrumé sur les chiffres du cadran : il est six heures du matin.

Ma tête... Pourquoi est-ce que cette maudite sonnerie ne s'arrête pas ? Je tends la main vers l'appareil, avant de comprendre que le bruit ne vient pas du réveil.

Il résonne à l'intérieur de mon crâne.

Brusquement, je me souviens. Hier soir, j'ai donné

l'ordre à Fafnir, mon sortilège-espion, de sonner la corne si le chamane se mettait en mouvement.

Fafnir applique mes consignes à la lettre !

Je referme les yeux.

Une sensation de démangeaison envahit le haut de ma cervelle. Mon sortilège-arpion, euh, espion, tape à la porte et cherche à s'immiscer dans ma tête... Je lui ouvre mon esprit, pour qu'il cesse ses grattouilles et me fasse son rapport.

Cette fois, j'ai droit à un diaporama (Fafnir est un sortilège très inventif).

Image 1 : le chamane est assis en tailleur sur son carton, enroulé dans une couverture brodée de glyphes mystiques, à côté de clochards endormis.

Image 2 : le chamane range ses affaires.

Image 3 : le chamane s'éloigne du pont.

Image 4 : le chamane consulte un plan de la ville.

Image 5 : le chamane se dirige vers un arrêt de bus.

J'ai beau être matinal, je suis mal. Otchi se fait la malle !

Qu'est-ce que j'attends pour réagir ? Je m'extirpe du duvet en trébuchant.

– Debout, Nina, je dis en secouant mon amie (un mot neutre qui exprime bien la confusion de mes pensées à son endroit – à son envers aussi, d'ailleurs, pour être tout à fait franc).

Et ce benêt de Jean-Lu qui m'avait promis d'être là à l'aube !

– Jasper, gémit-elle d'une voix étouffée. Laisse-moi tranquille.

– Impossible. Il y a urgence.

Seul un grognement me répond.

Je fonce en maillot de corps et caleçon hors de la chambre, en direction de la salle de bains. Je sais que Nina va en profiter pour se rendormir, mais j'ai besoin d'une bonne douche pour avoir les idées claires.

Le jet d'eau me brûle la peau et je récapitule les événements des dernières vingt-quatre heures. Moitié dans ma tête et moitié à voix haute. Comme si Ombe était là, derrière le rideau en plastique, en chair et en os, dans l'attente de mes confidences.

– La journée d'hier a commencé rue du Horla..., je commence en soupirant.

Devant une porte fermée.

– J'avais pourtant rendez-vous à l'aube ! C'est Walter lui-même qui avait insisté. On devait faire le point sur ma fuite de l'hôpital et ma confrontation avec l'assassin d'Ombe. Il faut croire que ce n'était pas si important..., je marmonne en me shampouinant les cheveux.

Plus inquiétant : hormis un bref appel de mademoiselle Rose m'engageant à reprendre contact plus tard, je n'ai aucune nouvelle de l'Association depuis plusieurs jours.

– J'ai suivi ensuite dans le métro trois mercenaires que j'ai confondus avec des Agents..., je ricane en me savonnant les pieds dans un équilibre précaire.

J'ai alors découvert qu'un puissant chamane traquait

Walter et – dans la série de je-te-tiens-tu-me-tiens-par-la-barbichette – je l'ai pris en chasse à son tour.

– Otchi, un chamane sibérien qui gagne ses combats en jouant du tambour…, je ronchonne en essayant de rattraper le savon qui est tombé dans le bac de la douche.

En le filant (et juste avant de le laisser filer !), je suis tombé sur des vampires.

– Ils avaient kidnappé Nina. Monumentale erreur…, je grommelle en me redressant, le savon dans la main.

Car je l'ai libérée, mettant à profit une diversion inattendue.

– Tu parles d'une diversion ! Quelqu'un (quelque chose) a ravagé le manoir où elle était prisonnière et a massacré les buveurs de sang…, je souffle en me rinçant.

Nina et moi avons ensuite retrouvé la piste du chamane, qui nous a conduits vers une séance de spiritisme plutôt brûlante, puis sous le pont où il a passé la nuit.

– Sous le pont et la surveillance de Fafnir. Fafnir le fidèle qui vient à l'instant de me prévenir que le chamane s'est remis en mouvement. Et qui attend que j'intervienne…, je conclus en essayant de vider mes oreilles pleines d'eau.

Ce dont je dois encore convaincre une fille endormie (la première que j'arrive à ramener dans ma chambre, soit dit en passant).

« C'est assez bien résumé, Jasper.

– Ombe ! Tu es là depuis longtemps ?

– Je suis là tout le temps, tu devrais le savoir.

– Oui, mais bon, tu aurais pu être là sans être exactement là ! De l'autre côté du rideau de douche, par exemple.

– Non, ça, c'est impossible.

– Et, euh, Ombe, cette nuit aussi, tu… ?

– Tout le temps, j'ai dit. Mais pas toujours attentive à ce que tu fais ! Pourquoi ?

– Pour rien ! À propos, Ombe, je t'entends, mais rassure-moi… Tu me vois ? Je ne t'ai jamais posé la question !

– Tu veux dire là, en ce moment ?

– Euh…

– Disons que… Ne baisse pas les yeux ! Je vois seulement ce que tu vois ! »

Je quitte maladroitement la douche. Pas facile, avec le regard fixé droit devant moi. Je me drape dans une serviette (à défaut de ma dignité).

« Et maintenant, Jasp ?

– Pour commencer, je vais me rhabiller. Ensuite, j'irai tirer Nina du lit. Et puis… Je t'ai déjà dit de ne pas m'appeler Jasp !

– Nina est ici ?

– Oui, elle est ici. C'est vrai que tu n'es pas très attentive ! Elle ne voulait pas rester seule cette nuit.

– Et… ?

– Et quoi ?

– Tous les deux, vous l'avez fait ?

– Ombe… Pourquoi tu me harcèles ?

– Tu es un idiot. Elle en pince pour toi, c'est évident. Alors ?

– Non. Je n'allais pas profiter de la faiblesse d'une fille après une journée traumatisante.

– Au contraire, Jasp. Ce genre de trucs, ça redonne la pêche. Tu verras, si un jour tu trouves le courage de quitter ton rempart d'excuses débiles...

– On peut parler d'autre chose ?

– Gros naze. »

Je m'oblige à rester calme. J'ai mieux à faire que de me disputer avec Ombe.

D'abord, rendre Nina opérationnelle en un temps record.

Ensuite, contacter Jean-Lu pour savoir ce qui le retient.

Enfin, partir sur les traces du chamane, en espérant qu'il ne soit pas trop tard.

Vêtu du pantalon noir et du pull à col roulé de la même couleur qui annoncent le musicien gothique (ou le magisiyah, euh, -cien), je retourne dans la chambre et secoue vigoureusement la forme inerte vautrée dans mon lit.

– Allez Nina, debout ! Départ dans cinq minutes, douchée ou pas, habillée ou en pyjama !

– Hein ? Quoi ? Jasper... Je suis crevée. Laisse-moi dormir.

– Si tu préfères rester toute seule, c'est comme tu veux, je susurre.

La grande peur de Nina, c'est qu'on l'abandonne. Il n'en faut donc pas plus pour qu'elle émerge de la couette.

Elle est mignonne en diable, ses cheveux roux ébouriffés, ses grands yeux verts papillonnants, le pyjama trop grand pour elle laissant juste deviner ses... formes.

Nina s'avance vers moi en s'étirant, se coule avec naturel dans mes bras et m'embrasse sur le bord des lèvres avant de s'écarter et de me sourire.

– Je vais prendre une douche, annonce-t-elle en sautil-lant vers la porte. J'en ai pour deux minutes.

Je secoue la tête pour chasser mon trouble.

– Oui, euh, deux minutes, hein ?

– Promis !

« *Gros naze.*

– Tais-toi, Ombe, je réfléchis ! »

Qu'est-ce que je voulais faire, déjà ? Ah oui, contacter Jean-Lu. Je décroche le téléphone fixe (j'ai oublié mon portable, hier, dans un café).

« *Vous êtes bien sur la boîte vocale de Jean-Lu ! Je suis encore au lit avec Angelina Jolie ! Laissez-moi un message ou rappelez plus tard !* »

Avec un peu de chance, ce crétin est en route. Il m'a promis, hier soir, de tenir compagnie à Nina pour que je puisse m'occuper du chamane. S'il ne se pointe pas dans les cinq minutes, tant pis, j'emmène Nina avec moi.

Je fonce à la cuisine, sors deux énormes pains au chocolat du congélateur, les mets au four, puis reviens dans la chambre. Au bruit que j'entends en passant devant la salle de bains, ma co-je-ne-sais-quoi (-llègue ? -religionnaire ? -pine ?) est encore sous la douche. Deux minutes, a-t-elle dit...

En attendant, je dois savoir où se trouve le chamane. Je m'appuie contre le bureau et ferme les yeux.

– [illegible]
Fafnir... A tana nin sairon silumë ar sinomë... Fafnir... Montre-moi le sorcier à ce moment et à cet endroit...

C'est du quenya. Faut pas que je refasse un topo sur le haut-elfique, quand même ? Et Fafnir, mon sortilège de localisation passé d'une clé USB à un bijou en forme de scarabée, tout le monde s'en souvient ? Ouf, j'ai eu peur...

Fafnir, donc, répond instantanément à mon appel et m'envoie l'image d'un métro, impossible à situer. Seules certitudes : le chamane se dirige vers son rendez-vous ; et plus le temps passe, plus mes chances de l'intercepter s'amenuisent.

Si seulement je pouvais découvrir où il se rend...

Je regrette de ne pas avoir récupéré mon scooter sur le quai où il se morfond depuis ma dernière mission. J'aurais gagné du temps ! Mais il faut dire, pour ma défense, que ma mère n'était pas prête à me laisser vagabonder au lendemain de ma sortie officielle de l'hôpital. Même si j'avais trépigné sur le parquet...

Le parquet ! Bien sûr.

Je rouvre les yeux, déplie fébrilement mon ordinateur et pianote sur le clavier.

Je tape « Hot » et « Hel », les deux indices récoltés cette nuit sur le parquet calciné de l'appartement des MA (Méchants Allumés) cramés dans la rue Allan-Kardec.

Une liste de suggestions hétéroclites apparaît en un

instant. Morceaux de musique, vidéos amateurs, extraits bibliques, sites pornos, tout y passe ! C'est dans la colonne que je ne regarde jamais, celle des liens commerciaux, que je trouve ce que je cherche : l'hôtel Héliott dresse ses trois étoiles à la périphérie de la capitale, porte de Vouivre.

Qu'a dit le spectre à Otchi, pendant la séance de spiritisme, juste avant d'être emporté par les racines du mal ? « Celui que tu cherches sera à cette heure-là à cet endroit. » Cet endroit, c'est l'hôtel, aucun doute. Pour connaître l'horla, euh, l'heure-là.... eh bien, il suffit de rattraper Otchi !

Je compulse un plan de métro. Porte de Vouivre, c'est tout près. Avec un peu de chance, on devrait arriver à temps.

La sonnerie du four m'arrache de mon bureau.

Je sors les viennoiseries et les enveloppe dans une serviette en papier.

– Tu n'as pas fait de chocolat chaud ? constate Nina avec une moue déçue en pénétrant dans la cuisine, serrée dans son jean moulant.

– On n'a pas le temps, je réponds sèchement. On mangera en route. Tu es prête ?

– Prête pour quoi ? demande-t-elle en secouant ses cheveux pour les sécher.

– Le copain dont je t'ai parlé n'est toujours pas arrivé, je soupire. Donc, soit tu l'attends ici, soit tu viens avec moi.

Elle se mord les lèvres.

– Tu pars à la poursuite du petit homme ?

J'acquiesce.

– Alors je t'accompagne, annonce-t-elle d'un ton décidé. Tu auras besoin d'aide.

– Tu es sûre ?

– Je suis un Agent, comme toi.

J'hésite entre l'inquiétude et le soulagement. Avoir Nina dans les pattes ne me ravit pas. Elle comprendra vite que mes pouvoirs sont d'essence magique et adieu l'article 6 (pour les cancres : « L'Agent ne révèle jamais ses talents particuliers. »).

D'un autre côté et en toute objectivité, on ne sera sans doute pas trop de deux pour affronter Otchi. Et en l'absence de Jean-Lu, je n'ai pas le choix.

« Le travail en équipe, c'est pas mal, Jasper.

– C'est vrai. Mais toi et moi, on forme déjà une équipe, Ombe.

– Sauf que dans cette équipe, je ne suis pas très présente. Et puis, tu sais, les trucs à trois, ça peut être marrant ! »

– Jasper ? Ça va ? J'ai eu l'impression que tu étais très loin, tout à coup. Et puis... tu es tout rouge !

– Ça va, je rassure Nina qui m'a pris la main et me regarde, les yeux grands ouverts (grands et verts...). Et toi, tu te sens comment ?

– Partante pour un peu d'action !

Ses lèvres tremblent légèrement. Je n'ajoute rien. Pour dire la vérité, sa réaction me touche.

Je ne peux pas m'empêcher de plonger dans ses yeux, encore.

Ils sont immenses, ils ont la couleur des rivières quand le soleil joue avec l'eau. Vraiment magnifiques.

J'enfile mon manteau, passe ma sacoche autour du cou. Puis je m'approche d'elle et je l'embrasse, maladroitement.

Elle semble étonnée mais répond à mon baiser.

– On y va ? je dis après m'être raclé la gorge pour dissimuler mon embarras.

– On y va.

J'ouvre la porte.

Nina pousse un hurlement et je retiens de justesse un cri de stupeur (mais pas les pains au chocolat qui en profitent pour tomber par terre).

Sur le palier, il y a quatre hommes.

Trois sont étendus sur le sol.

Le quatrième se tient debout, devant l'ascenseur ouvert, en état de choc.

– Jean-Lu ! je m'exclame en l'apercevant.

– Jasp ! Qu'est-ce que... Merde ! Qu'est-ce qui s'est passé ?

Nina regarde mon pote comme s'il était le responsable de la scène. Je me penche au-dessus des trois hommes inconscients et m'assure qu'ils respirent. Le sortilège de protection apposé sur la porte n'est pas mortel.

Ces types sont des mercenaires employés par l'Association (les chapeaux mous et les lunettes noires sont des preuves flagrantes), les mêmes humains ordinaires que le chamane a assommés, hier, dans le métro.

Leurs armes indiquent clairement qu'ils étaient venus pour en découdre.

Je me sens pris de vertige.

Pourquoi l'Association aurait-elle envoyé des mercenaires chez moi ? Il suffisait de me convoquer et je rappliquais dans l'heure, sans poser de questions.

Ou alors… l'Association est infiltrée ! Walter, le Sphinx et mademoiselle Rose sont peut-être même retenus prisonniers !

Une hypothèse extrême mais qui expliquerait tout : l'absence de nouvelles de la part de mademoiselle Rose, la porte close quand je me suis présenté rue du Horla, la présence de mercenaires sur mon palier…

La voix de Jean-Lu m'arrache à ce tourbillon de pensées.

– Jasper ! C'est quoi ce bordel ?

Mon camarade de classe – et leader charismatique du groupe *Alamanyar* qui accueille les sanglots longs de ma cornemuse, l'automne et les autres saisons – ouvre des yeux écarquillés.

– L'appartement est protégé par un système d'alarme perfectionné, j'invente à toute vitesse. Ces types ont reçu une sacrée décharge mais ils sont vivants.

– Des cambrioleurs ?

Je réponds par un haussement d'épaules évasif.

– Il faut appeler la police, décide Jean-Lu en sortant son téléphone.

– Et tu leur diras quoi ? je réponds en poussant Nina dans l'ascenseur. Que tu passais par hasard pour vendre des calendriers ? Que tu n'as rien à voir avec ces types armés jusqu'aux dents, évanouis devant ma porte ?

Jean-Lu hésite et jure une nouvelle fois. Pas de temps à perdre : je l'agrippe par la manche et l'oblige à nous rejoindre dans la cabine.

– Fais-moi confiance, vieux, je le supplie.

Il me regarde puis se détend légèrement. J'ai gagné la première manche.

– Tu ne t'en tireras pas comme ça, Jasp, me prévient-il sur un ton lourd de menaces. Tu as intérêt à m'expliquer !

– D'accord, mais pas ici.

Moi qui ne sais régler les problèmes qu'en les repoussant, je suis servi. J'évacue donc les questions en suspens et je m'accroche à mon plan : retrouver Otchi pour (peut-être) retrouver Walter.

« Ça craint, Jasper.

– Ouais, et pas qu'un peu.

– L'Association va si mal que ça ?

– On dirait bien.

– Qu'est-ce que tu… Qu'est-ce qu'on va faire ?

– Mettre la main sur le chamane.

– Tu penses qu'il est impliqué dans ce bordel ?

– J'en sais rien, Ombe. Mais c'est ma seule idée pour l'instant. Alors je m'y accroche de toutes mes forces pour ne pas tomber. »

Soulignant ma sombre conclusion, l'ascenseur tressaute et je me cale contre la paroi. Nina se serre contre moi. L'espace est étroit et notre nouveau compagnon, avec son mètre quatre-vingt-cinq et ses quatre-vingt-dix kilos, tient de la place.

Je m'oblige à revenir au présent.

– Au fait ! Nina, je te présente Jean-Lu. Jean-Lu, Nina. Je t'ai parlé d'elle au téléphone.

– Enchantée, dit-elle en le gratifiant d'un sourire poli.

– Moi de même, répond mon corpulent camarade en se baissant et en s'essayant à un baisemain.

– Dis donc, je fais en fronçant le nez, tu n'as pas lésiné sur l'eau de toilette !

Avec sa moustache et son bouc, ses cheveux en pétard et sa tenue noire, il ressemble à un mousquetaire passé du côté obscur. Porthos qui aurait piqué les fringues de Dark Vador.

– N'essaye pas de détourner la conversation, m'ordonne-t-il avec un air sévère. Tu me dois des explications. Beau-coup d'explications, termine-t-il en montrant discrètement Nina et en me faisant les gros yeux.

Ouais, Jean-Lu, ouais. Je ne sais pas encore ce que je vais te raconter mais compte sur moi : ce sera énorme…

Des oiseaux dans le ciel

La veille de ma première mission, consacrée à Fabio le vampire braqueur de bijouterie, on était ensemble, Jean-Lu, Romu et moi, pour la répétition hebdomadaire de notre groupe de musique.

J'ai l'impression que ça fait un siècle.

C'est l'intimité stimulante de la chambre de Jean-Lu qui nous avait accueillis (ma mère avouant volontiers son aversion pour les décibels, les grands-parents de Romu considérant Charles Trenet comme l'aboutissement de la musique moderne et les parents de Jean-Lu étant absents pour la soirée).

Ça a beau faire un siècle, je me rappelle cette soirée comme si c'était hier.

On a commencé par brancher le matos : baffles sur la bibliothèque et l'armoire, table de mixage sur le bureau. On s'est mis en chaussettes pour grimper sur le lit puisque c'est le seul endroit où il restait de la place. Et puis ça donnait l'impression d'être sur une scène !

Jean-Lu a fait dzoing avec sa guitare, Romu a lancé un baong sur sa basse et j'ai écrasé tout le monde avec le ouin de ma cornemuse (c'est le principal problème de cet instrument : il a tendance à couvrir tous les autres, sauf la bombarde). Et puis Jean-Lu a empoigné le micro (c'est lui qui chante ; moi, je souffle dans ma peau de chèvre et Romu se cache derrière ses cheveux). Il a lancé le couplet d'une compo, soutenu par les notes sèches et répétitives de la basse et la plainte enivrante de la cornemuse.

On a juste eu le temps de terminer le morceau. Parce qu'une coalition de voisins s'est pointée et a tambouriné contre la porte en hurlant des insultes.

Quand on pense aux difficultés auxquelles on se heurte dès qu'on essaye de s'élever au-dessus de la grisaille d'un quotidien déserté par la musique, on s'étonne qu'il y ait encore des oiseaux dans le ciel !

Des épisodes comme celui-là défilent dans ma tête depuis quelque temps. J'ai la désagréable impression que plus rien ne sera jamais pareil après les événements de ces derniers jours.

Comme si le monde était sur le point de basculer.

Les images de ces moments heureux, dans le lointain reflet qu'elles me laissent, sont encore plus puissantes. Elles hantent mon cœur, se transforment en mirages qui me font frissonner.

Elles engendrent un sentiment désagréable : et si je n'en avais pas assez profité ?

Il faut hélas avoir perdu quelque chose pour s'apercevoir qu'on y tenait…

2

– Une affaire de drogue ? s'exclame Jean-Lu tandis qu'on approche de la bouche de métro. Tu te fous de moi ?

– Je sais, c'est dingue, je réponds en mettant toute ma conviction dans ce mensonge aussi bancal qu'un sortilège invoqué dans l'urgence. Mais avec le stress au lycée et l'exemple de mes idoles rock... j'ai craqué.

Nina m'a regardé d'une drôle de façon quand j'ai commencé à inventer cette histoire. Elle marche à présent en silence à mes côtés, partagée entre l'amusement et autre chose (je ne veux pas savoir quoi).

Jean-Lu, par contre, affiche son visage des mauvais jours.

– Si c'est une plaisanterie, reprend-il, je la trouve franchement pas drôle. Sinon... Merde, Jasp, qu'est-ce qui t'est passé par la tête ? Pourquoi tu ne nous en as jamais parlé ?

Je soupire, autant pour rendre mes regrets crédibles que parce que je lui mens pour la première fois. Je déteste ça ! Malheureusement, les règles sont parfaitement claires :

Article 2 : « L'Association n'existe pas. »

Article 5 : « L'Agent garde secrète la nature de son travail. »

Qu'est-ce que je peux faire d'autre ?

– J'ai commis deux erreurs, Jean-Lu, je dis d'un air contrit. M'intéresser à cette saloperie et ne pas payer les fournisseurs.

– C'est pour te réclamer de l'argent qu'ils sont venus chez toi ? s'étonne mon ami avant de froncer les sourcils. Tu as dû laisser une sacrée ardoise pour qu'ils débarquent à trois, armés jusqu'aux dents...

– Assez lourde, je réponds, peu désireux de m'étendre sur mon mensonge. Mais j'ai de quoi régler cette affaire dans ma sacoche. Je suis désolé de t'avoir embarqué là-dedans, vieux.

– Non, Jasp, me dit Jean-Lu en posant sur mon épaule sa grosse patte d'ours. C'est moi qui suis désolé de ne pas avoir compris plus tôt ce qui se passait. Tes cours particuliers bidon, ton départ précipité du *Ring*, tes coups de fil à n'importe quelle heure, tes délires à propos de filles canon... J'aurais dû percuter !

Là, je suis vraiment mal.

– Mais je te promets une chose, m'assure-t-il avec émotion. Et je sais que Romu sera d'accord ! C'est de t'aider à décrocher.

Carrément dans la merde.

– Est-ce que Nina, continue Jean-Lu en s'approchant de manière qu'elle ne puisse pas entendre, touche aussi à la drogue ?

– Non, je réponds en secouant vigoureusement la tête. On peut même dire qu'elle m'aide à m'en sortir.

– Bien, bien. Et… tu sors avec elle ? me demande-t-il abruptement.

– En quelque sorte.

Il m'observe et soupire à son tour.

– Comment est-ce que je peux t'aider, là, tout de suite ? Tu veux que je reste avec Nina pendant que tu vas voir les dealers ?

– Non, Jean-Lu. Tu es adorable mais tu en as assez fait. Nina…

J'hésite un instant avant de poursuivre.

– … vient avec moi.

Mon ami hoche gravement la tête.

– Dans ce cas, je viens aussi.

– Jean-Lu, je t'assure que…

– Inutile de discuter, conclut-il avec une voix décidée que je connais trop bien. Je ne te laisserai pas tomber encore une fois. Quoi qu'il se passe, je serai à tes côtés.

Je lance un regard à Nina qui lève les yeux au ciel et hausse les épaules, me signifiant que c'est moi qui me suis mis dans ce pétrin et que c'est à moi d'en sortir.

Bon sang! Je suis en route pour affronter un maître sorcier et je suis accompagné pour me prêter main-forte d'un gros gars têtu et d'une fille dont les seuls talents consistent à ouvrir des portes avec des baleines de soutien-gorge et à se camoufler en endive!

Pour ne rien arranger, Ombe s'est inscrite sur liste rouge.

Je suis bien barré...

– Au fait, Jasp, me demande Jean-Lu sur le quai du métro, tu as vu Romu, récemment?

– Non, je réponds (en pensant très fort que Romu est actuellement le cadet de mes soucis). Il n'est pas chez ses grands-parents?

– J'ai essayé d'appeler partout: il n'est nulle part.

– Étonnant, je fais, abandonnant le cours de mes pensées pour m'intéresser à la discussion. Il passe toujours les vacances de Noël en province, chez les vieux.

– Romu est bizarre, ces derniers temps, continue Jean-Lu, un pli soucieux sur le front. Tu n'as pas remarqué?

– Non, j'avoue, mal à l'aise.

Je prends brutalement conscience que mes aventures récentes m'ont éloigné de mes amis plus que je ne le pensais.

– Maintenant que tu le dis, je corrige, je l'ai eu au téléphone, la veille du Jour de l'an. C'est vrai qu'il n'avait pas l'air dans son assiette !

– La dernière fois qu'on a bavardé en ligne, il était encore plus pâle que d'habitude, reprend Jean-Lu en secouant la tête. La mauvaise qualité de mon ordinateur n'explique pas tout. Romu se mordait les lèvres, il avait l'air crevé…

Jean-Lu s'arrête en plein milieu de sa phrase et me regarde d'un air suspicieux.

– Est-ce que lui et toi… ?

Pas de sous-entendu malsain derrière ces mots. Je comprends immédiatement l'inquiétude de mon ami.

– Romu ne touche pas à la drogue, je me récrie. Pas à ma connaissance, en tout cas. Je te le jure !

– Alors c'est une fille, assure-t-il, rasséréné, au moment où la rame fait son apparition dans la station. Je l'ai vu traîner avec une jolie blonde, deux ou trois fois.

– Une fille, c'est sûr, ça change un homme, j'acquiesce, même si j'ai du mal à imaginer Romu avec une copine.

Mais après tout, ma vie d'aujourd'hui ne ressemble en rien à celle d'hier. Pourquoi n'en serait-il pas de même pour mes amis ?

Romu, avec une jolie blonde…

Je pense aussitôt à une autre blonde et mon cœur se serre.

N'est-ce pas, Ombe, qu'une fille, ça peut changer la vie ?

La ligne de métro est directe jusqu'à « Porte de Vouivre ». J'ai largement le temps de contacter Fafnir pour faire le point sur la situation.

Jean-Lu s'est assis à côté de Nina et a engagé la conversation.

J'ai les mains libres. Je cale ma tête contre la vitre et ferme les yeux, comme si je m'assoupissais. Je murmure les mots elfiques pour activer le lien, latent et invisible, qui me rattache à mon scarabée-espion.

– *Fafnir… Ma hlaratyë ni ?* Fafnir… Tu m'entends ? *Massë nat ?* Où es-tu ?

Mes oreilles bourdonnent légèrement. Fafnir est en mode réception.

– *Fafnir… A tana nin ambar silumë ar sinomë…* Fafnir… Montre-moi le monde à ce moment et à cet endroit…

Mise en route du film sur un écran jaunâtre (l'ambre des pupilles de mon artefact). L'image est déformée (l'arrondi de ses globes oculaires) mais parfaitement reconnaissable.

Le chamane approche de l'hôtel Héliott.

J'ai mon information : Otchi a dix minutes d'avance sur nous. Que va-t-il en faire ? J'observe avec inquiétude la suite des événements.

Là-bas, dans le hall de l'hôtel, Fafnir vrombit discrètement autour d'un arbre décoratif, empoté (l'arbre, pas Fafnir). Le chamane passe devant le comptoir, fait un signe de tête poli à l'agent d'accueil et se plante devant l'ascenseur. Ding ! Il entre dans la cabine, appuie sur le bouton du deuxième sous-sol. Les portes se ferment. Impossible pour mon espion d'accompagner le chamane sans se faire repérer.

Heureusement, Fafnir a de la ressource. Il fonce vers l'escaliers et gagne les sous-sols, de toute la vitesse de ses petites ailes en lapis-lazuli. Mais il n'a pas besoin d'aller loin : le chamane s'est immobilisé à la sortie de l'ascenseur.

Fafnir s'accroche aux aspérités du mur pour observer la scène.

Un colosse de l'envergure d'un troll, dépassant largement les deux mètres et les deux cents kilos, bloque le couloir. Son costume sombre, tendu à craquer, pourrait faire croire à un garde du corps. Mais il manque les inévitables oreillettes.

Il faut dire, aussi, que son oreille droite, lacérée, ressemble à une chiffonnade de jambon cru. Ce type est salement défiguré.

Ses yeux, marron, pailletés de rouge, sont étonnamment fixes.

Cet homme est soit shooté, soit cinglé.

J'ai dit « homme » ? Je retire. Ce type ne peut pas être humain. À la pilosité qui court sur ses doigts, je penche pour un garou.

Quoi qu'il (en) soit, Otchi ne semble pas davantage impressionné par ce monstre que par les vampires du manoir. Comment fait-il, bon sang? Je lui envie cette assurance (même si je ne suis pas prêt à l'échanger contre sa chauvitude).

Son inimitable sourire aux lèvres, Otchi fait signe qu'il aimerait passer. L'autre secoue la tête. Le chamane avance alors d'un pas, lève un doigt et l'agite sous le nez du monstre comme s'il s'agissait d'un enfant capricieux.

– ***Pas te mettre au travers de ma route, homme-loup. Toi regretter.***

Homme-loup. Je ne m'étais pas trompé!

Le garou adopte aussitôt une posture agressive.

– ***Si tu avances encore, petit homme, je te réduis en bouillie.***

J'ai vu Otchi venir à bout de mercenaires, tenir tête à des vampires, soumettre des spectres et échapper à une créature infernale. Je connais ses capacités. Mais là, face à ce monstre… Pourtant, il faut qu'il en réchappe si je veux retrouver Walter!

À ce sujet, d'ailleurs… Qu'est-ce qu'un loup-garou vient faire dans l'histoire? Le chef de l'Association en fuite aurait demandé à des Agents de protéger ses arrières, pas à un lycan!

Je ne comprends rien.

Sinon que, comme mon intuition me le souffle depuis le début, le chamane est une pièce importante du puzzle. Qui doit impérativement rester en vie.

– Sors ton tambour, Otchi, je murmure. Vite!

Comme s'il m'avait entendu, Otchi plonge la main dans les plis de la couverture qu'il tient nouée autour de la taille et brandit... une clochette.

Qu'est-ce qu'il fée, euh, fait, l'homme-orchestre?

Sans laisser le temps au garou de comprendre, Otchi esquisse aussitôt quelques pas de danse. Il entonne la même mélopée rauque que la première fois dans le métro. Celle qui envoie les mercenaires au tapis.

Puis il agite la clochette.

L'effet est immédiat. D'abord stupéfait par sa réaction, le monstre se prépare à bondir, avant de se retrouver prisonnier d'entraves invisibles. Il s'effondre à genoux en hurlant, tentant vainement de se boucher les oreilles.

Quelques tintements supplémentaires et il s'effondre lourdement sur le sol, sans connaissance.

Je suis médusé.

Je viens d'assister à l'affrondement (ou l'affrontement, pour les incultes et les frondophobes) de David et Goliath!

Un fol espoir m'envahit. Maintenant j'en suis sûr, Otchi est capable de m'aider à comprendre les rapports étranges que j'entretiens avec la magie!

Je mets péniblement un terme à mes visions. Une voix dans le haut-parleur vient d'annoncer «Porte de Vouivre», le terminus de la ligne.

– Tu sais où tu vas, hein, Jasp ? chuchote Jean-Lu en me voyant pousser, sans hésiter, la porte de l'hôtel Héliott.

– Oui, je réponds, légèrement agacé. Les rendez-vous dans les endroits glauques, genre rue déserte ou entrepôts abandonnés, c'est bon pour les films. Les dealers d'aujourd'hui aiment le luxe.

Nous sommes à peine entrés qu'un homme se penche vers nous du comptoir de l'accueil.

– Je peux vous aider ?

Il faut avouer qu'on offre un spectacle pour le moins inhabituel. Un grand maigre tout en noir, un gros costaud du genre rockeur et une fille fringuée pour aller en boîte : l'équipe est franchement hétéroclite.

– Les Pieds Nickelés en vadrouille, je marmonne entre mes dents.

« Tu oublies la fille fantôme ! »

– Tiens, Ombe ! Non, ma vieille, je ne l'oublie jamais. C'est plutôt elle qui a tendance à déserter...

– Je suis toujours là, Jasper. Parfois, je rêvasse, c'est tout.

– Maintenant que tu es réveillée, tu as des idées, pour la suite ?

– Non. Mais je te rappelle que tu as une équipe avec toi.

– Merci pour ton aide !

– De rien. »

Le réceptionniste arbore un visage suspicieux. Je dois agir car c'est peut-être un complice du garou. Je cherche en vain sur mon poignet le bracelet de discrétion. Je l'ai oublié dans l'appartement… Quel idiot !

Je cherche fébrilement un mensonge crédible à servir à l'employé, quand Nina me devance :

– Mon père arrive, explique-t-elle avec un naturel parfait. Il gare la voiture. On peut attendre dans les fauteuils ? Oui ? Cool !

L'homme a acquiescé. Il semble se satisfaire de la réponse.

« Alors, Jasp ?

– Une équipe, je sais… »

Je regarde mes acolytes (qui n'ont rien d'anonyme). Mon cœur se serre brièvement. Contrairement à Ombe, je pense, moi, qu'il est temps de les préserver.

– Je descends au sous-sol, j'annonce. Je ne devrais pas en avoir pour longtemps. Attendez-moi là.

Nina et Jean-Lu échangent un bref regard de connivence.

– Pas question, dit Nina. On vient.

– Ça peut être franchement dangereux, je rétorque en évitant d'évoquer le garou embusqué là-dessous.

– Justement, confirme Jean-Lu en croisant les bras, pour signifier que cette décision est irrévocable.

« Une équipe, Jasper !

– Ombe, tu sais bien que Jean-Lu et Nina, même s'ils pensent bien faire, vont au contraire me gêner…

– On ne crache jamais sur un peu d'aide.

– Tu as vu ce qu'on va affronter, en bas ?

– Non. Quoi ?

– Eh bien le… le… »

Interloqué, je ne sais quoi dire, avant de me rappeler qu'Ombe n'a pas accès aux pensées que je formule pour moi-même. Logiquement, elle n'a donc pas non plus connaissance des informations transmises par Fafnir…

« *C'est rien, Ombe. Laisse tomber.* »

Puis je capitule à voix haute :

– D'accord, les gars (le féminin de gars étant garce, je préfère la jouer collectif). Mais dépêchons-nous !

Je me dirige vers l'escalier emprunté quelques instants plus tôt par Fafnir, en prenant soin de ne pas attirer l'attention des employés de l'hôtel.

Jean-Lu et Nina sur mes talons, je dévale les marches jusqu'au deuxième sous-sol, contourne le mur de béton derrière lequel mon espion a assisté à l'exhibition chamanique d'Otchi et…

… et je manque de percuter le loup-garou qui secoue rageusement la tête.

Zut.

J'ai manqué le créneau d'un poil.

Loin des noirceurs

Fouler la neige et se vider la tête dans sa blancheur, se laisser aveugler par les jeux du soleil, cingler par le vent et la poussière glacée…

Où est-ce que je me trouvais, l'année dernière, au même moment ? Je ne sais pas. Mais j'étais différent puisque je n'étais pas Agent (stagiaire) et que j'ignorais jusqu'à l'existence de l'Association !

Il y a un an, il neigeait sur la capitale. Je marchais dans le jardin des Appeleurs. Crrr crrrr faisaient mes chaussures en écrasant les flocons. Des gamins riaient en se poursuivant.

Assis sur un banc, près de l'université Tolkien, je regardais les voitures déraper, sous les lumières clignotantes de Noël.

J'ai fini par rejoindre Romu. On a rempli un seau de neige, on l'a monté chez Jean-Lu et on a bombardé de boules les gens qui passaient en bas, dans la rue. Ce n'était pas très malin, mais on s'est bien marrés !

Comme tout cela paraît loin…

Je rêve de sérénité. De moments tranquilles, de moments d'espoir.

D'une trêve, loin de toutes les noirceurs.

Mais il s'élève à l'horizon un vent froid, de ces vents meurtriers qui annoncent les tempêtes.

[illegible] I cala atasiluva. *La lumière brillera-t-elle à nouveau ?*

3

Je freine des quatre fers (je suis très à cheval sur les expressions) en me rendant compte que le garou a retrouvé ses esprits. Mes deux comparses manquent de me percuter.

Le colosse nous décoche un regard dément.

« Jasper… Cet Anormal, c'est Lakej, le lycan que j'ai combattu ! »

La voix d'Ombe est inhabituellement tendue. Les confidences faites par mon amie le soir de Noël me reviennent instantanément en mémoire.

« Celui que tu as réduit en bouillie ?

– Oui. Lakej est le bras droit de Trulez, tu sais, le rival de… Nacelnik. Trulez bossait pour les vampires.

– Et ?

– Réveille-toi, Jasper ! Lakej est un tueur de la pire espèce… »

– Merde alors ! lâche Jean-Lu stupéfait. Je n'ai jamais vu une montagne pareille !

Nina se fait toute petite (ce qui n'est pas très difficile). Il semble que son pouvoir, quel qu'il soit (et si elle en possède !), ne soit pas adapté à la situation.

Il va donc falloir que je me débrouille seul contre ce Lakej.

Et que j'essaye de faire aussi bien qu'Ombe.

Tandis que je réfléchis à un plan, Jean-Lu se place entre le garou et moi. On dit souvent qu'un con qui avance va plus loin qu'un mec intelligent qui reste dans son coin. C'est malheureusement vrai.

Je réagis trop tard.

– Jean-Lu ! Ne…

Il m'interrompt d'un geste.

– On est venus payer notre dette, déclare-t-il courageusement en croyant avoir affaire à un dealer.

Quand il est lancé, Jean-Lu, rien ne peut l'arrêter.

Rien, sauf un coup de poing de lycan. Qui le cueille à l'estomac et l'envoie valdinguer contre le mur.

Nina pousse un hurlement d'effroi.

J'observe Lakej, plein d'espoir : le cri de ma collègue stagiaire va-t-il le jeter à terre ? Hélas, il n'a rien de paranormal et le garou ne bronche pas (inutile de chercher un jeu de mots ; la vision de Jean-Lu en train de caner sur le sol, sans connaissance, ne me rend pas d'humeur badine…).

Je me précipite vers mon camarade.

– Il est… ? demande Nina, les yeux écarquillés.

– Il respire, je la rassure. Mais il a reçu un sacré choc.

Il a surtout eu un sacré bol. Si l'armoire à glace l'avait frappé à la tête, il n'aurait pas survécu. Mon pote doit son salut à son volumineux tour de taille.

– Vous êtes des amis du petit homme ? gronde le garou.

Question à mille euros.

Je me redresse, tremblant de colère. Le cogneur a beau être plus grand, bien plus rapide et infiniment plus fort que moi, on ne fait pas de mal à mes amis !

– Non, je réponds en le fixant droit dans les yeux (ce qui m'oblige à lever la tête très haut). On le poursuit. Vous feriez mieux de nous laisser passer.

Pourquoi est-ce que je ne me ramasse pas de claque dans la figure, alors que je n'ai même pas dit s'il vous plaît ? Tout simplement parce que je reste à bonne distance. Les garous détestent qu'on les colle, ils se sentent agressés. Il faut toujours maintenir un espace minimal (vital…) avec eux.

C'est ce que je m'apprêtais à dire à Jean-Lu.

– Personne ne passera, annonce Lakej, menaçant. Si vous tenez à la vie, emportez votre compagnon et filez. Avant que je change d'avis et que je vous tue.

« Ça ne lui ressemble pas.

– Il a peut-être reçu des ordres stricts, qui excluent la violence gratuite.

– Franchement, Jasper? Ça m'étonnerait!»

Alors ça veut dire qu'il n'a pas recouvré toutes ses facultés. Il est encore sous le choc de sa rencontre avec Otchi.

Que dois-je faire?

1. obtempérer et confier Jean-Lu aux bons soins du personnel de l'hôtel, en justifiant son état par une chute dans les escaliers;

2. affronter le gaillard, d'une manière ou d'une autre;

3. sortir ma carte d'Agent de l'Association et tenter une négociation officielle.

Je me rembrunis en pensant aux situations critiques où j'ai tenté d'utiliser mon statut d'Agent pour sauver ma peau. Chaque fois, au lieu de les calmer, ma carte a excité mes adversaires.

Je décide malgré tout de retenter ma chance.

– Je suis en mission, je dis en brandissant le rectangle de plastique affichant un A comme Association. Merci de coopérer.

Pourquoi est-ce que je ne m'écoute jamais?

Le grondement qui monte de la gorge de Lakej ressemble à celui d'un loup qui aurait mangé un lion.

Ses épaules s'élargissent, sa poitrine se gonfle et d'affreux poils noirs envahissent ses joues.

J'ai l'impression d'assister à un mauvais plagiat de Hulk!

Les mâchoires se déforment à leur tour, des crocs acérés jaillissent de la bouche (de la gueule ?) du garou.

Lakej vient de se transformer et c'est pas joli à voir.

Sous les lambeaux de son costume saillent des muscles hypertrophiés, couverts de fourrure. Des griffes acérées ont poussé, au bout de doigts anormalement longs.

Le garou mesure à présent deux mètres cinquante.

Quant à la lueur folle qui brûle au fond de ses yeux, elle a gagné en intensité.

« Alors là, Jasper, chapeau. Pour arriver au même résultat, il a fallu que je le traite plusieurs fois de chien. Toi, il a suffi que tu sortes ta carte !

– Plus tard, les sarcasmes ! Si tu as une idée pour nous tirer de là, Ombe, n'hésite pas...

– À part lui sauter dessus et le massacrer avec un poing américain en alliage titane et argent, je ne vois pas.

– C'est ce que tu as fait ?! Tu es cinglée, ma vieille.

– Merci ! »

Lakej bondit sur moi à une vitesse hallucinante.

Une fraction de seconde avant que ses griffes me lacèrent, je glisse sur le sol, effectue un roulé-boulé parfait et me retrouve dans son dos.

Putain... Comment j'ai réussi un truc pareil ?

Poussant un grognement de surprise, le garou fait volte-face. Sans réfléchir, je plonge sur le côté. Le lycan agrippe ma sacoche, que je lui abandonne sans lutter. Elle s'ouvre sous le choc. Il s'acharne dessus et la réduit en lambeaux.

Je le regarde faire, plus pâle que le mur contre lequel je me redresse. Il y avait dedans les ingrédients qui auraient pu nous sauver.

En plus, je me retrouve coincé dans un angle, incapable de bouger.

Je suis cuit.

Dès qu'il me voit pris au piège, Lakej abandonne les débris de ma sacoche et se rue sur moi. Je serre convulsivement entre mes doigts le collier protecteur qui, cette fois, ne me sera d'aucun secours.

Face à la force brutale, la magie défensive a ses limites.

Comme pour me donner raison, le monstre gronde, gueule ouverte, de la bave dégoulinant de ses canines acérées…

… On raconte qu'au moment de mourir toute notre vie repasse devant nos yeux. Je sais, depuis qu'Erglug a tenté de m'étrangler, que ce n'est pas vrai.

Cette fois encore, ce n'est pas ma vie qui défile, mais toutes les questions auxquelles je n'aurai jamais de réponses.

Pourquoi Ombe et pourquoi pas moi, pourquoi nous et pas les autres stagiaires ?

Des questions soigneusement remisées dans un coin de mon cerveau, mises de côté pour plus tard, sans cesse repoussées.

Pourquoi Ernest Dryden, le meurtrier d'Ombe, m'a-t-il traité de monstre ?

Une porte s'est ouverte, une digue s'est rompue.

Pourquoi Séverin vend-il de la drogue aux Anormaux? Pourquoi les vampires ont-ils été massacrés, dans le manoir?

Elles affluent maintenant, en se bousculant, comme une foule les jours de spectacle.

Pourquoi Siyah, le magicien noir, en voulait-il à la créature du lac? Pourquoi ne m'a-t-il pas arraché le cœur?

Elles tourbillonnent dans mon crâne, comme des flocons de neige dans les yeux des boxeurs sonnés.

Pourquoi des temps si difficiles?

Des temps si difficiles...

– Tu pues, grogne Lakej.

La voix du garou résonne dans le couloir, sinistre, et chasse le maelstrom qui est en train de m'engloutir.

– Qu'est-ce que tu attends? je réponds en soutenant son regard bestial. Tue-moi! L'Association me vengera!

Alors que je réprime un haut-le-cœur (je pue peut-être, mais lui, il refoule grave) et que je ferme les yeux en attendant le coup de grâce, essayant de ne pas imaginer ses dents déchirant ma gorge, un bourdonnement furieux prend possession du couloir.

J'entrouvre un œil.

J'y crois pas... C'est Fafnir!

Fafnir, qui vole frénétiquement vers moi!

Mon brave sortilège, enchâssé dans un assemblage de plomb et de pierres précieuses, vient à ma rescousse.

C'est complètement dingue.

Surpris lui aussi, Lakej assiste à l'arrivée en fanfare de mon fidèle compagnon.

Qui profite de son élan pour percuter son oreille blessée.

Poussant un cri de douleur, le garou relâche son attention et me fournit l'ouverture nécessaire pour m'échapper.

Je me jette en avant, me rétablis dans un roulé-boulé qui m'aurait valu le respect éternel de mon prof de sport. L'accès à l'escalier est dégagé. Je peux quitter cet enfer dans la minute.

Mais je ne le fais pas.

Parce que Nina est restée à côté de Jean-Lu encore évanoui, et qu'il est hors de question de les abandonner.

Parce qu'Otchi est parti de l'autre côté.

Parce que Fafnir est en danger.

Je fais donc la seule chose déraisonnable : alors que l'attention du garou est occupée par les assauts de mon scarabée, je saisis sa jambe dure et épaisse comme un poteau électrique avec la main qui porte la bague de ma mère, dont les fils d'or et d'argent entrelacés brillent sous l'atroce lueur des néons.

La bague que je n'ai (pour une fois) pas oublié de recharger et dont la magie a consumé Ernest Dryden.

Je prends mon inspiration et lâche les mots qui déchaîneront sa puissance.

– *Malta...* *Ilsa...* *A senë Poldorë...* Or... Argent... Libérez la force...

Comme la dernière fois dans la rue Nodier, la bague dégage aussitôt une faible aura rougeâtre. La lueur suinte du bijou, se répand le long du mollet du garou et s'insinue sous les lambeaux de costume.

Toujours occupé à chasser Fafnir qui virevolte autour de sa tête, Lakej n'a rien remarqué.

Le sort libéré de l'anneau où il était captif, je me recule précipitamment et rejoins Nina auprès de Jean-Lu.

– Ça va ? je demande à la jeune fille.

Elle hoche courageusement la tête mais je vois à son visage décomposé qu'elle donnerait tout pour être loin d'ici.

Je m'interroge franchement : pour quelle raison a-t-elle rejoint les rangs de l'Association ? Enfin, elle ne s'est pas enfuie, c'est déjà ça.

Comme disait Gaston Saint-Langers, « le courage est la première des qualités et la qualité des premiers ».

Au même moment, poussant un grognement de triomphe, le garou attrape l'insecte de cornaline. Mon cœur fait un bond dans ma poitrine.

– Fafnir !

La grosse main se referme sur le scarabée.

Et puis une odeur de brûlé capte l'attention du lycan.

Sidéré, il voit des flammes rouges grimper à l'assaut de ses vêtements.

Lâchant ce qui reste de Fafnir, Lakej tente désespérément d'éteindre le feu qui s'attaque aussi à sa fourrure.

Je me précipite et ramasse le scarabée. Il est dans un sale état ! Il va falloir trouver une autre enveloppe – au moins provisoire – à Fafnir. C'est dommage, je m'étais habitué à voir le monde à travers ses yeux d'ambre.

– *Hantanyël hunlocënya !* Merci mon dragon-chien ! *Fëalocënya…* Mon étincelant dragon… *Anmoinë ninya…* Mon très précieux…

Fafnir remue légèrement dans ma main.

Ne t'inquiète pas, mon fidèle, je m'occuperai de toi très vite. Dès que le vilain monsieur qui t'a fait du mal se sera consumé.

À propos de consumer...

Je fronce les sourcils. Le sortilège n'est pas censé agir de cette façon. Le feu devrait être intérieur et brûler les chairs. Et pour l'instant les flammes rouges restent extérieures ! Le garou, s'il continue, va réussir à les éteindre.

Pas bon, ça. Pas bon du tout.

C'est le problème de la magie. Elle a un côté aléatoire parfois agaçant !

C'est aussi l'inconvénient d'être un praticien de seize ans. J'utilise la plupart de mes sorts et formules pour la première ou la deuxième fois. C'est insuffisant pour en tirer des constantes ou s'appuyer sur des certitudes.

En l'occurrence, je suis en train de découvrir que ce qui affecte un humain normal ne touche pas de la même façon un loup-garou anormal…

Résultat de ma brillante intervention : Lakej est toujours vivant et plus furieux que jamais. Seul point positif, Fafnir, quoique hors jeu, est toujours vivant (enfin, actif, puisqu'il s'agit d'un sortilège).

– Oh non, gémit Nina, il vient par ici !

Complètement à poil (en comptant ceux qui lui restent), la peau roussie et les muscles gonflés de fureur, son visage défiguré irradiant de haine, Lakej ressemble plus que jamais à une créature sortie tout droit des Enfers.

Post-it

Vivre, c'est avoir des problèmes et essayer de les résoudre.

4

Lakej fait un pas dans notre direction. Un seul. Puis il s'arrête.

Mon cœur se met à battre plus vite.

Est-ce que ça veut dire qu'il ne chargera pas ?

Le garou secoue la tête comme une bête inquiète. Il a entendu une rumeur, un murmure peut-être, derrière lui, là où Otchi s'est enfui. Inaudible pour nos oreilles humaines.

Quelque chose qui le bouleverse.

Il se demande s'il doit se précipiter dans le couloir ou bien rester à son poste. L'une ou l'autre de ces solutions serait désastreuse, puisque je compte bien m'engouffrer dans le couloir à la première occasion ! La première option présente l'avantage, malgré tout, d'épargner mes compagnons.

Car si le garou penche pour la bagarre, jamais Nina n'aura le temps de prendre la fuite. D'ailleurs, à en juger par son attitude angoissée mais déterminée, je suis persuadé qu'elle refuserait de partir en nous laissant, Jean-Lu et moi.

Il y avait dans ma sacoche des charmes, des plantes et des pierres avec lesquelles j'aurais pu bâtir un sort à la va-vite pour nous protéger. Lakej a réduit à néant mes espoirs, en même temps que mes ingrédients.

Comment arrête-t-on un garou ? Mon artefact le plus puissant, l'anneau dit du rayon de la mort, s'est avéré sans effet sur lui !

Évidemment, je pourrais construire un pentacle dans l'urgence. Seulement, je ne dispose pas de sel. Tout ce que je ferais sans sel ne tiendrait pas deux minutes contre la puissance d'un garou.

Je note mentalement (si je survis, ce qui paraît peu probable) de coudre une poche secrète dans ma veste, remplie de sel.

« Si seulement tu avais une arme en argent…

– Ombe ! »

Entendre à nouveau mon amie – mon équipière – me soulage considérablement.

« Je croyais que tu m'avais abandonné !

– Jamais.

– Tu étais bien silencieuse...

– Ce n'est pas parce que je me tais que je ne suis pas là... On perd du temps, Jasper.

– De l'argent, tu dis ? J'ai ma bague. C'est un alliage.

– Rien d'autre ?

– Non.

– Ça ne suffira pas.

– Ton idée, c'est quoi ?

– Démolir le lycan avec une arme en argent.

– Ouais. Même si j'avais une masse en argent massif, j'ai bien peur que ton plan soit voué à l'échec...

– Tu te sous-estimes, Jasper.

– Je ne crois pas. »

C'est le moment que choisit Lakej pour prendre sa décision.

Son regard se pose sur Nina et moi.

Il va d'abord s'occuper de nous, avant de foncer dans le couloir...

– Désolé, je dis à Nina en lui attrapant la main. J'aurais aimé passer plus de temps avec toi.

Effrayée mais digne jusque-là, Nina craque brutalement.

– Ne m'abandonne pas, Jasper, je t'en prie ! me supplie-t-elle en serrant ma main de toutes ses forces et en vissant son regard sur le mien. Ne laisse pas ce monstre me faire du mal !

Ses yeux sont devenus des mares et reflètent une peine infinie.

Les paroles de Nina pénètrent au plus profond de moi.

Elles s'insinuent dans ma tête, dégringolent dans mon ventre et serrent mon cœur.

Je tressaille, fouetté par une décharge d'adrénaline.

Bon sang, Nina a raison ! Il est de mon devoir de la protéger. Je n'ai pas le droit de baisser les bras !

– Ne t'inquiète pas, je la rassure. Je me battrai jusqu'à mon dernier souffle !

Je me redresse, rempli d'une détermination nouvelle. Mon cerveau se remet à fonctionner à plein régime.

De l'argent, hein ? Pour cogner sur le garou ? Par la barbe de Gandalf, je trimballe dans ma poche depuis des jours la gourmette d'Ombe vol… hum, récupérée dans sa chambre ! Bon, d'accord, avec une gourmette, même en argent, je reste monté un peu fin. Mais je dispose également d'un sortilège qui m'a prouvé moult fois sa valeur et ses capacités d'innovation !

Je fredonne un air pour me donner du courage :

– *You want war*

You got war

More than you bargained for…[1]

Puis je sors Fafnir de la poche où je l'avais rangé et serre la chaînette d'argent dans ma main droite.

– *Fafnir! Tyelpeva rembessen ! Lintavë !* Fafnir ! Dans les maillons d'argent ! Vite !

1 *Fear Factory*, « Powershifter »

Sans se faire prier, le ruban de brume dorée qui constitue l'essence de mon sortilège quitte le scarabée déstructuré et s'engouffre dans la gourmette.

L'assemblage de cornaline, d'améthyste, de lapis-lazuli, d'ambre et de plomb se disloque aussitôt.

Je fourre les morceaux dans ma poche et me prépare sans broncher à l'attaque du garou.

« Gestion, Jasper.

– Hein ?

– Tu gères les coups.

– D'accord, mais… »

Lakej a visé la tête, griffes en avant. Je dévie sa main avec mes avant-bras, en glissant sur le côté. Aïe ! Qu'est-ce qu'il frappe fort !

J'évite, en me baissant, un deuxième coup surgi de nulle part.

Je réchappe au troisième en jouant des coudes.

Je suis encore vivant ! Mais, à ce rythme, je ne le resterai pas longtemps.

« Organisation !

– Quoi ?

– Tu prépares ta contre-attaque.

– Oui, mais encore ?

– Tu le frappes ! »

Un coup de poing passe à trois millimètres de mon visage. Le courant d'air fait bouger mes sourcils ! Sans réfléchir, je lui balance un coup de pied dans le tibia, avec la pointe de ma solide chaussure en cuir. Il paraît surpris. Il m'en envoie un en retour, qu'instinctivement je pare avec le genou.

La douleur m'envahit, violente, mais Lakej semble avoir plus mal que moi.

« *Ombe ! Il m'a pété le genou !*

– *Calme-toi, Jasper. Ton genou d'humain est plus dur que son pied de garou.*

– *C'est toi qui le dis ! Et maintenant ?*

– *Action.*

– *C'est pas ce que je fais, depuis tout à l'heure ?*

– *Tu arrêtes de jouer et tu le cognes pour de bon !* »

Les griffes déchirent un pan de mon manteau. Ah non ! Je commençais à y tenir !

– C'est une veste que tu cherches à prendre ? je dis en me décalant et en lui collant un coup de poing dans les côtes. Tu l'auras voulu !

Il hurle.

C'est un hurlement de douleur et d'étonnement.

À l'endroit où j'ai frappé, deux côtes saillent et le sang commence à ruisseler.

C'est moi qui ai fait ça ?

Je regarde ma main. Une lumière argentée émane de la gourmette que je tiens à la façon d'un coup-de-poing américain et pulse autour de mes doigts.

Fafnir – je ne sais comment – a réussi à transformer le bijou pour bébé en arme redoutable ! Un halo mystique protège à présent ma main droite, transformée en marteau de Thor.

Lakej m'observe, les yeux remplis d'incompréhension. Et si je mettais un terme à ses interrogations ? Je ne voudrais pas qu'il se fatigue le cerveau…

Tout à coup, je titube. **Un flash de lumière rouge vient d'exploser dans ma tête.** Créant un appel d'air vers un trop vaste espace intérieur. **Je tombe en moi et des images défilent.** Des souvenirs. Non, pas des souvenirs. Le souvenir d'un rêve.

« Jasper, ça va ? »

Je suis dans une arène, environné de cris de fureur et de présences fantomatiques. D'hommes en armes également. Beaucoup sont morts. Le sang coule de mes doigts...

« Jasper ! Reprends-toi ! »

J'émerge de mon hallucination comme un plongeur hors de l'eau, juste à temps pour bloquer un coup rageur.

Si Lakej avait heurté une enclume, il ne se serait pas fait plus mal. Son bras se brise contre la gourmette avec un bruit de branche cassée.

Je vois la peur envahir son regard de bête sauvage.

– Le combat est terminé, je grommelle entre mes dents, pressé d'en finir avant d'être saisi par une autre hallucination.

Je vise le plexus et frappe de toutes mes forces avec l'aide de la chaîne fafnirienne. Lakej se plie en deux et s'écroule par terre.

Je l'achève d'un coup dans la tempe et je me redresse, haletant.

Le bijou a cessé de luire.

« *Chapeau, Jasper. Même moi, je n'aurais pas fait mieux !*

– *Merci, Ombe.*

– *Qu'est-ce qui t'a pris, tout à l'heure ? C'est comme si tu avais... disparu. Tu m'as flanqué une sacrée trouille !*

– *C'est rien, je... je n'ai pas mangé, ce matin. J'ai eu un passage à vide, c'est tout.*

– *Ne me refais plus jamais un coup pareil.*

– *C'est promis, Ombe.* »

J'essuie la gourmette puis mes doigts sur un morceau de ce qui fut le costume du loup-garou. **Je me revois dans l'arène, je revois mes mains couvertes de sang.**

Je réprime un frisson. Ce rêve était beaucoup trop réel.

Je chasse cette pensée absurde, remets la chaînette dans ma poche et rejoins Nina. Dans ses yeux qui me dévisagent et que j'aime tant, je lis de l'admiration.

Et de la répulsion.

– Ça va ? je m'enquiers en toussant.

– C'est à toi qu'il faut le demander, élude-t-elle avec un sourire forcé.

– Bah, la routine. J'explose des garous tous les jours !

Je m'accroupis et je lui prends la main. Elle se raidit légèrement.

– Nina... Il faut que je continue. Je dois retrouver le petit homme. Mais il est hors de question d'abandonner

Jean-Lu ici. Il n'a pas repris connaissance. Il a besoin d'un médecin…

– Je reste avec lui, déclare-t-elle immédiatement, à mon grand soulagement.

– Tu n'as pas peur de te retrouver toute seule ? je demande pour la forme.

– Dès que tu partiras, je monterai chercher du secours. Je dirai que Jean-Lu a trébuché dans l'escalier.

– Tu es sûre ?

– Oui. Il suffit juste de mettre un peu d'ordre ici…

– Je vais garer le garou dans un coin, je déclare en me levant.

Ma tentative d'humour tombe à plat. Embarrassé, je m'attelle à la tâche et réussis à traîner le corps inanimé jusque dans un local technique.

En manœuvrant, mon pied heurte un objet. Je le ramasse. Il s'agit d'un rouleau de parchemins, serrés par un lacet de cuir rouge. Tombé de la poche de Lakej ?

Je les déplie et découvre des dessins. Des dessins naïfs racontant une histoire. Accompagnés, çà et là, de phrases en ouïgour et de runes sibériennes – si je ne me trompe pas.

L'ouïgour, j'ai du mal. Mais les runes, c'est mon rayon ! Je parviens à déchiffrer les premiers mots : *Rouleaux de Sang*.

Je ne sais pas pourquoi, j'ai du mal à imaginer Lakej avec un pinceau dans les doigts ! C'est le chamane qui a perdu les parchemins tout à l'heure. Est-ce qu'il s'agit d'une sorte de *Livre des Ombres*?

Très excité, je déchiffre laborieusement plusieurs titres: « Au son du tambour », « Les sept collines », « Le pays des ossements »...

Il s'agit certainement de comptes rendus d'expériences chamaniques.

Incroyable!

Lakej n'étant pas prêt de se relever, je prends le temps de découvrir les premiers rouleaux. Ce qu'ils révèlent est passionnant, mais hélas loin des urgences du moment. En soupirant, je refrène ma curiosité et glisse les parchemins dans une de mes poches, me promettant d'y revenir à la première occasion.

Je rejoins Nina qui éponge de son mieux les traces de l'affrontement avec les lambeaux du costume de l'en-Hulké.

– J'y vais, je lui annonce.

Je m'approche pour l'embrasser. Elle fait un effort clairement perceptible pour ne pas retirer ses lèvres. Je ressens un pincement au cœur.

« Laisse-lui du temps, Jasper.

– Pourquoi les filles ne sont pas livrées avec un manuel, Ombe? Je ne pige pas. Elle m'a embrassé pas plus tard que ce matin, alors que je ne demandais rien!

– On est plus sensibles que vous, les mecs.

– C'est toi qui me dis ça...

– Ce que vous tenez bizarrement pour acquis, les filles le remettent perpétuellement en question. Une différence de nature, j'imagine.

– Qu'est-ce que tu veux dire ?

– Ce matin c'était ce matin. Depuis, elle t'a vu te battre. Elle a découvert la violence dont tu es capable. Et ça lui fait peur.

– Ah bon ? Je pensais plutôt que ça l'impressionnerait favorablement !

– Les mecs ont une drôle de façon de voir les choses ! Nina a aperçu ton aspect obscur.

– Qu'est-ce qu'il faut que je fasse ?

– Ne la brusque pas, c'est tout. »

Nina me regarde avec intensité.

– Ton talent, me murmure-t-elle, c'est la magie, n'est-ce pas ?

– Oui.

Quelle importance qu'elle sache, maintenant ? Quand on a partagé certaines aventures, à quoi bon les secrets ? Elle semble d'ailleurs apprécier ma franchise. Son visage se détend.

– Et… toi ? je lui demande.

– Je force les autres à me protéger, avoue-t-elle en plongeant ses sublimes yeux verts dans les miens.

– Hein ?

– Quand le garou s'est jeté sur nous, je t'ai supplié de me sauver, de ne pas m'abandonner, n'est-ce pas ?

– Oui. Mais…

– Ce n'est pas ce que tu as fait ?

– Si, bien sûr !

– Tu aurais été courageux tout seul, Jasper, parce que tu es un garçon bien. Je t'ai seulement donné la motivation et la force d'agir. Je t'ai obligé à être meilleur. C'est ça, mon talent. Pousser les autres. Plutôt nul, pas vrai ?!

J'hésite avant de lui répondre et elle se méprend sur mes sentiments. Son visage s'assombrit. Je m'empresse de la rassurer.

– Non, Nina. C'est un talent… pas commun du tout.

– Pas commun mais très égoïste. C'est ce que tu penses, n'est-ce pas ? C'est ce que tout le monde penserait si…

– Tu te trompes ! Je… C'est le plus altruiste des dons, au contraire.

– Comment ça ? Qu'est-ce que tu veux dire, Jasper ?

– C'est comme si… Tu rends les choses belles. Tu enlèves les noirceurs qu'il y a chez les gens ! En nous obligeant à être meilleurs, tu nous rends un immense service ! Je ne sais pas si je suis bien clair, Nina. Mais ton don, j'aurais adoré l'avoir…

Son visage s'illumine. Je le prends en plein dans les yeux et mon cœur s'affole. Ma résolution vacille, je n'ai pas envie de la laisser seule. Cette fois, le pouvoir qui s'exerce sur moi n'est pas celui de la paranormale ! Il réside dans des cheveux roux en désordre et des yeux verts, humides. Et il provoque d'amples battements de cœur.

« Jasper ? Faut bouger, mon grand.

– Oui, Ombe. Je sais. Encore une minute.

– Plus tu attends et plus ce sera difficile… »

Elle a raison.

Je rassemble ma volonté.

– Je dois y aller, je dis à Nina en lui caressant la joue, d'une main tremblante.

– Fais attention à toi, Jasper, murmure-t-elle.

J'emporte son vœu serré contre moi, en m'éloignant vers l'inconnu dans un couloir qu'un garou était prêt à tout pour défendre.

Au son du tambour

(Dessins tirés des Rouleaux de Sang *d'Otchi, avec les commentaires de Jasper)*

Si je comprends bien le dessin d'Otchi (qui a bien fait de se lancer dans le chamanisme plutôt que dans l'illustration), le monde forme trois couches.

Nous vivons au niveau intermédiaire.

On accède aux mondes supérieurs en s'accrochant à un fil tissé par les étoiles et aux mondes inférieurs en se laissant glisser le long d'une corde, par un petit trou. La corde en question trempe dans une sorte de mare, où flottent des ossements.

Les mondes inférieurs et supérieurs ressemblent au nôtre : on y trouve des paysages et des créatures…

A comme ASSOCIATION

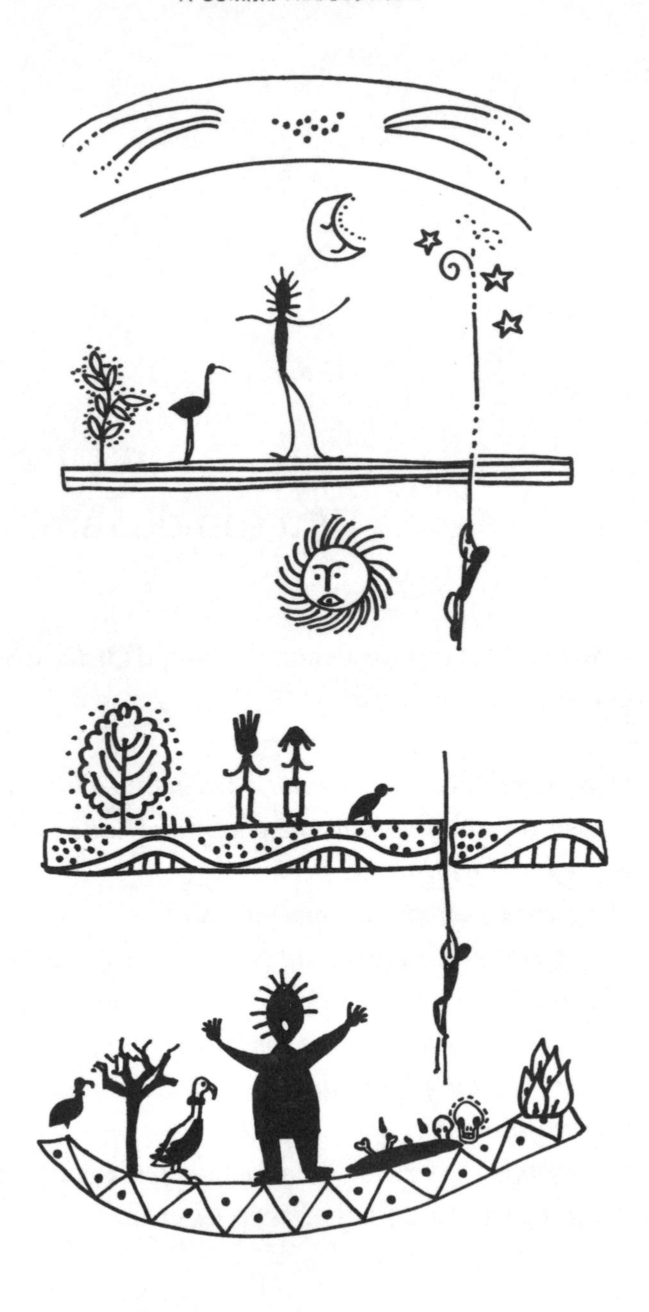

Visiblement, le pouvoir du tambour dépasse de loin le son qu'il produit. Le tambour semble être la demeure d'esprits qui servent le chamane.

Le battement les réveille, la danse rassemble leurs énergies et la psalmodie les déchaîne.

La magie chamanique est donc liée aux esprits, qui sont à la fois les guides et les assistants du chamane. Ils servent de monture et combattent pour lui…

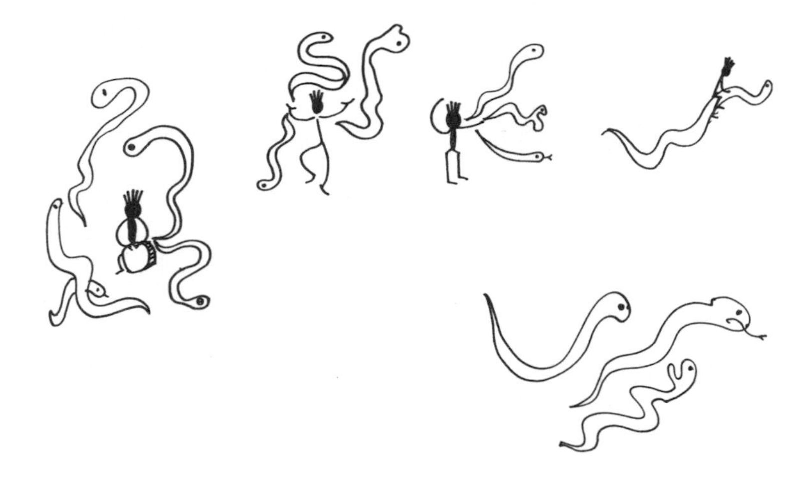

5

13, rue du Horla – Deuxième étage – Bureaux de l'Association

– Allô ? Jules ! Enfin ! Mais où étais-tu passé ?

– Je suis désolé, mademoiselle Rose. J'étais en train de suivre la piste de Nina, hier soir, quand mes parents m'ont téléphoné. Ils s'inquiétaient. J'ai dû rentrer chez moi.

– Tu aurais pu me prévenir. Je me suis fait beaucoup de souci.

– J'ai complètement oublié. Il faut dire que j'ai eu droit à une bonne engueulade…

– Tu m'appelles pour présenter tes excuses ?

– Non. Enfin si ! Mais pas seulement. J'ai retrouvé Nina, mademoiselle Rose !

– La bonne nouvelle ! Je t'écoute, Jules.

– Mes parents se lèvent tôt pour partir au travail… Je suis retourné à l'endroit où j'avais abandonné mes recherches et j'ai remonté la piste.

– Elle t'a conduit à Nina ?

– Pas seulement, mademoiselle Rose. La piste passait par l'avenue Mauméjean…

– Jasper !

– Ça va, mademoiselle Rose ? Vous avez une voix bizarre !

– C'est très important, Jules : as-tu croisé le chemin de trois Auxiliaires à proximité de l'avenue Mauméjean ?

– Vous avez envoyé des Auxiliaires chez Jasper ?

– Réponds à mes questions, Jules. Es-tu monté jusqu'à l'appartement ?

– Non. Je n'en ai pas eu besoin : Jasper est sorti de l'immeuble à toute vitesse, avec Nina et un garçon balèze que je ne connais pas.

– Pourquoi tu n'as pas appelé immédiatement ?

– Je n'y ai pas pensé, mademoiselle Rose. Ça me demande des efforts, d'être discret ! Quand je traque une cible, je suis totalement concentré sur elle.

– Je comprends. Continue, Jules.

– Je les ai suivis jusqu'à l'hôtel Héliott.

– Porte de Vouivre ?

– Exactement. Ensuite, ils sont descendus dans les sous-sols. Je ne leur ai pas collé le train très longtemps ! Ça s'est mis à barder, là-dessous.

– À barder ?

– Genre grosse bagarre. Sur fond de hurlements de garou… Je suis sorti de l'hôtel et je vous ai appelée. Que voulez-vous que je fasse, mademoiselle Rose ?

– Rien. Tu restes où tu es et tu me préviens si un Anormal ou un Paranormal quitte l'hôtel.

– Vous n'allez pas aider Nina et Jasper ?

– Ce n'est pas ce que j'ai dit. J'ai dit que ta mission à toi était terminée. La mienne commence…

13, rue du Horla – Troisième étage – Appartement de mademoiselle Rose

– Ah ! les choses se précisent, on dirait, sorcière. Depuis combien de temps n'as-tu pas revêtu ta tenue de combat ?

– Bien longtemps, démon.

– Je te préfère comme ça ! Tu révèles ta vraie nature, sauvage et violente.

– Ce ne sont qu'un pantalon en Kevlar et une côte de mailles en titane-argent, démon.

– Tu oublies les bottes en cuir, les gantelets de fer et le pistolet dans son étui sombre. Tu l'as chargé avec des balles thermoluminescentes ou des balles d'argent liquide ?

– Les deux. Vampires et garous sont les grands pénibles du moment.

– J'en conclus que Jasper n'est plus ta priorité…

– Il en fait partie. Mais la situation s'est compliquée.

– D'où le *wakizashi* que tu portes dans le dos, Sorcière ?

– Lame en alliage rare : antimoine et titane. Contre les démons de ton espèce ! Je ne sais pas encore à quoi je vais être confrontée.

– Pourquoi ne pas prendre d'ustensiles magiques, dans ce cas ?

– J'en emporte, démon. Je ne compte pas me balader en ville avec cet attirail sans un voile d'illusion. D'ailleurs, ce lourd bâton d'if chaussé de fer et casqué de plomb ne te rappelle rien ?

– Le tisseur de sorts…

– Inutile de reculer, démon, ce miroir n'a pas de fond. Et puis tu ne risques rien. Je t'ai déjà terrassé. Ce n'est pas mon genre de m'acharner sur un ennemi vaincu.

– Cet état d'esprit t'honore, sorcière ! Encore une fois, laisse-moi te remercier. Libère-moi et je combattrai à tes côtés !

– Plutôt avoir un troll en rut pour compagnon d'armes, démon.

– Comme tu veux, sorcière. Moi, j'essaye juste de t'aider. Est-ce que Walter se joindra à toi ?

– Walter reste malheureusement injoignable. Les événements se précipitent. Je ne peux pas me permettre de compter sur son retour…

– Quel dommage ! Pardon, je voulais dire : quel dommage… Mais qu'est-ce que tu fais, sorcière ?

– J'active le sort de destruction enchâssé dans le miroir, démon. Si je ne reviens pas pour le désamorcer, tu cesseras d'exister.

– Pourquoi, sorcière ?

– Tu es trop dangereux. Un sorcier maladroit ou inexpérimenté pourrait te laisser échapper. Mais assez bavardé, il est temps d'y aller.

– Garde-toi, sorcière ! Tu as tout ce qu'il te faut ? Je te trouve sous-équipée ! Tu devrais prendre un bouclier et aussi un… Eh ! tu m'entends ? Bonne chance !

La dernière bataille de mademoiselle Rose

À quand remonte ma dernière véritable opération de terrain? C'était il y a treize ans, si je me fie à ma mémoire et non à mes fiches. Nous nous rendions, Walter, le Sphinx et moi, à une importante réunion qui devait entériner un accord entre vampires et loups-garous – accord arraché au prix d'efforts diplomatiques acharnés: aux enfants de Nosferatu les centres-ville, à ceux de Lycaon les périphéries. Visiblement, cet arrangement n'était pas du goût de tout le monde. Nous rencontrâmes sur notre route un groupe de vampires et de garous ligués pour l'occasion. Il n'en resta pas un vivant. La signature de l'accord eut lieu comme prévu…

J'eus le temps de voir le Sphinx exploser littéralement la figure d'un vampire avec son poing et égorger un garou d'un revers de poignard, tandis que Walter, à l'abri d'un mur de protection, invoquait des sphères de haute densité destinées à aveugler nos assaillants. Une horde vociférante se jeta alors sur moi. Un garou perdit ses griffes contre mes mailles en argent. Il ne hurla pas très longtemps : je le tuai avec mon sabre. J'évitai ensuite une attaque de vampire et ripostai en lui brisant une jambe avec mon bâton ferré. Tandis que le plomb du pommeau emmagasinait le sort que je tissais en psalmodiant, je dégainai mon pistolet et défouraillais dans le tas. Quand mon sort fut prêt, je fis signe au Sphinx qui se retira à l'abri de la protection érigée par Walter. Brandissant mon bâton d'if, je lâchai les énergies mortelles qui foudroyèrent ce qui restait d'agresseurs.

Comme dit le poète, le combat cessa faute de combattants.

– Toujours dans la dentelle, hein Rose ? fut le seul commentaire de Walter.

– C'est pas juste, se plaignit le Sphinx. Je commençais seulement à m'amuser.

Walter. Sphinx. Votre ironie et votre humour vont me manquer, à l'heure où je repars seule sur le champ de bataille…

6

La pâle lumière qui éclaire la cage d'escalier et l'ascenseur s'estompe rapidement derrière moi au profit des ténèbres.

J'avance d'un pas prudent, touchant régulièrement le béton du mur, autant pour me rassurer que pour ne pas trébucher. Et je m'interroge sur ce sous-sol, qui semble n'avoir aucune raison d'être.

Le couloir, dans lequel je progresse à l'aveuglette, est totalement incongru. Où conduit-il ? Plusieurs réponses se bousculent et la plus sinistre me suggère que si l'enfer est pavé de bonnes intentions, c'est également le seul endroit gardé par un cerbère monstrueux…

Tout en continuant d'avancer, je repense aux différentes phases de la bataille qui vient de se dérouler.

J'ai du mal à croire que c'est bien moi qui ai affronté – et vaincu ! – le loup-garou body-buildé. Mon collier protecteur ne suffit pas à tout expliquer, surtout après la faillite d'un autre de mes artefacts contre Lakej (l'anneau grésillant qui chatouille les loups-garous en les épilant...).

L'adrénaline ? Ridicule.

Les exhortations d'Ombe ? J'en doute.

Le pouvoir de Nina ? Peut-être.

Le visage de ma petite amie (je ne sais pas au juste quels sentiments elle a pour moi mais une chose est sûre : elle n'est pas très grande...) s'impose à moi. Ses confidences éclairent – à défaut du couloir où je manque de trébucher – plusieurs événements de la journée d'hier, à commencer par l'irrésistible envie de me précipiter à son secours malgré la présence de nombreux vampires, ainsi que l'impulsion idiote qui m'a incité à lui proposer l'hospitalité pour la nuit.

Pousser les autres à nous protéger... C'est quand même le pouvoir ultime !

Est-ce que ça aurait marché avec le garou ? Sans doute que non, autrement elle aurait essayé. Ça ne doit fonctionner qu'avec des Normaux.

Ou des Paranormaux.

Ou des garçons.

Voire des garçons qu'on a embrassés.

Je penserai à le lui demander quand je la reverrai !

Je suis heureux qu'elle soit restée avec Jean-Lu. Parce que mon courageux (et stupide) ami mérite de voir un ange à son réveil.

Et parce que les anges n'ont rien à faire en enfer.

Je ralentis le pas. L'obscurité s'épaissit. À cette allure – et en authentique Alamanyarien – je n'arriverai nulle part.

Je maudis encore une fois le garou qui, en détruisant ma sacoche, m'a privé non seulement de mon matériel rituel, mais également d'une puissante lampe-torche.

J'envie Gandalf, éclairant avec le pommeau de son bâton de magicien le chemin de la communauté de l'Anneau dans les mines labyrinthiques de la Moria.

Je n'ai pas d'anneau. Je n'ai pas de bâton (un peu encombrant dans un environnement urbain). Mais je possède une gourmette magique !

Je la sors de ma poche, l'approche de mon visage et chuchote à l'attention de mon compagnon de bagarre lové dans sa nouvelle demeure :

– [Tengwar] *Fafnir ! Cala !* Fafnir ! Lumière !

J'espère qu'il a eu le temps de reprendre des forces. Sa folle intervention, tout à l'heure, m'a sauvé la vie mais l'a sûrement épuisé.

En réponse à ma sollicitation elfique, la chaînette se met à luire comme une veilleuse de nuit pour nourrisson, diffusant un faible halo bleuté.

Insuffisant pour éblouir un adversaire mais assez pour voir où je pose les pieds.

« D'accord, j'avoue : la magie a parfois du bon !

– Merci, Ombe. De mon côté, je reconnais que savoir cogner peut également s'avérer utile.

– Sympa, Jasp !

– À ton service. »

Me revoilà donc avec mes coéquipiers habituels : une fille fantôme qui parle dans ma tête et un sortilège qui adore les bijoux.

Je murmure encore à l'attention de ce dernier :

– *Hantanyël, ninya ancalima, curwinqua curunindil…* Merci, mon très brillant, ami inventif du magicien…

Une brève variation dans l'intensité de la lueur signale que le message est passé, et qu'il a été apprécié.

Tant mieux.

« Quand le futur est en morceaux, il est important de rester soudés », a dit fort justement Gaston Saint-Langers.

Tenant la gourmette devant moi comme un pendule, je poursuis ma route dans le couloir en repoussant les ombres. Mes pas résonnent étrangement sur le sol dur et froid qui accuse une légère pente. Je suis en train de m'enfoncer sous terre.

Le béton disparaît progressivement au profit du rocher.

Je quitte le couloir pour un tunnel irrégulier, creusé à la main à une époque sans doute lointaine. Une odeur d'humidité me prend à la gorge.

En même temps, mon sixième sens de magicien se réveille. Je perçois des énergies foisonnantes et contradictoires, canalisées par les veines de quartz emprisonnées dans la roche. Je frissonne.

« Ça y est, Jasper ! Ça recommence à devenir intéressant !

– Tu ne veux pas plutôt dire flippant ?

– C'est pareil.

– Et avec le garou, Ombe, c'était quoi ? Amusant ?

– Instructif.

– Instructif ? Tu te fous de moi, là !

– Considère que c'était une épreuve et que tu l'as passée haut la main.

– Tu veux dire…

– Cette rencontre avec Lakej était un test.

– J'emploierais plutôt le mot "miracle" !

– Ta victoire est tout sauf un miracle. Tu as dévoilé un pan nouveau de ta personnalité. C'est pour ça que j'ai dit que c'était instructif. »

Je ne réponds rien. Ombe a raison (une fois de plus). Pas seulement à propos du Pan qui sommeille en moi ! J'étais vif et rapide pendant la bataille. Fort, aussi.

À cause de la magie de Nina ? De la gourmette enchantée ?

Dans ce cas, comment expliquer mes acrobaties sur la façade du manoir aux vampires et l'endurance inédite dont j'ai fait preuve dans le métro ?

Je change, c'est évident, même si je ne comprends ni comment ni pourquoi.

Et j'aime ce changement !

C'est tout ce qui m'importe pour l'instant.

Un premier embranchement ne me pose pas de problème puisque j'ai décidé de suivre le tunnel principal.

Par contre, j'hésite devant une fourche un peu plus loin.

Un couloir continue à descendre, l'autre à monter. Je choisis de descendre, écoutant mon instinct qui n'a – pour l'instant – jamais failli, ainsi que l'oscillation de mon pendule improvisé qui tourne seul.

– Un peu plus à l'ouest, je ne peux m'empêcher de murmurer.

J'ai vu juste car la galerie principale débouche sans crier gare sur une caverne immense.

Qui m'estomaque.

Un tel endroit n'a rien à faire là, dans le tréfonds de la capitale !

Je demande à Fafnir, dans un chuchotement, d'éteindre la gourmette pour d'évidentes raisons de discrétion…

Cette caverne a la taille d'un gymnase. Creusée dans la roche – comme les quelques galeries qui y débouchent – mais consolidée avec du béton.

Une roche irrégulière et un béton lisse, humide comme un mur de glace.

De gigantesques tentures rouges recouvrent une partie des parois et une multitude de flambeaux dans des torchères de métal se consument en projetant des lueurs aveuglantes.

L'ambiance est très Club Med (médiéval...).

Cela ferait une salle de concerts géniale! En plus, les musiciens sont déjà là. Rassemblés au centre de la caverne, autour d'une table en pierre, dans de grands fauteuils métalliques.

Je m'accroupis dans un recoin d'ombre, le cœur battant.

Je les connais tous.

Il y a Siyah, le magicien noir qui a essayé de nous tuer, Ombe et moi.

Ainsi que Séverin, le vampire qui a voulu me saigner et dont j'ai brûlé le visage.

Et puis un loup-garou au visage mauvais, qui doit sûrement être...

« Trulez! Sale bâtard, fils de chienne! »

Ombe m'enlève les mots de la tête.

Quant au quatrième homme...

« *Walter?!* » on s'exclame ensemble.

Oui, Walter, le chef de l'Association, vêtu d'un impeccable costume trois-pièces et arborant une magnifique cravate en soie, en compagnie des trois plus fameux salauds de la ville.

« Jasper... Tu penses qu'il est prisonnier ?

– Non, Ombe. Je ne pense pas. »

En effet, Walter semble parfaitement à son aise au milieu des crapules. Quant à la dizaine de lycans postés dans la caverne, ils ont davantage l'air de gardes du corps que de geôliers.

« Soit Walter possède un sang-froid extraordinaire et joue parfaitement la comédie, soit il est passé du côté obscur.

– Je penche pour la deuxième option. Regarde son costume, Jasp : on dirait un dandy !

– C'est pour ça que j'ai eu un moment d'hésitation avant de le reconnaître...

– Qu'est-ce que ça veut dire ?

– J'en sais rien, Ombe, j'en sais foutrement rien. »

Plus que ça : je suis carrément paumé.

Car, en observant l'incroyable scène avec attention, je remarque non seulement que Walter ne paraît pas gêné par ses voisins de table, mais qu'en plus ceux-ci lui manifestent un respect très (trop ?) marqué.

– Walter..., je murmure, trop médusé pour laisser la tristesse m'envahir.

Un détail, un petit détail haut comme trois pommes,

me saute soudain aux yeux : Otchi n'est pas là. Cette absence me déstabilise autant que la présence de Walter à la table de pierre.

« *Tu es sûre que tu ne peux pas me pincer, Ombe ?*

– *Oui, hélas. Et crois-moi, Jasper, je suis la première à le regretter !*

– *À ton avis, qu'est-ce que je dois faire ?*

– *Rien.*

– *Comment ça, rien ?*

– *Rien pour l'instant. Siyah et Séverin seraient ravis de t'avoir à portée de sortilèges et de crocs. Tu leur offrirais ce plaisir ?*

– *Pas vraiment.*

– *Alors attends.*

– *Je ne devrais pas faire demi-tour ?*

– *Tu vois le chamane, dans cette salle ?*

– *Non.*

– *En rebroussant chemin, tu prends le risque de tomber sur lui.*

– *Donc…*

– *On reste planqués.*

– *Ça peut durer longtemps !*

– *Mon expérience m'a appris qu'il ne tarde jamais à se passer quelque chose. Tiens-toi prêt, c'est tout.*

– *D'accord, chef.* »

En soupirant, je m'installe aussi confortablement que possible contre le mur du couloir.

Je profite de l'inaction à laquelle Ombe m'invite (une fois n'est pas coutume !) pour réfléchir, ce que l'enchaînement des événements m'a empêché de faire sérieusement jusqu'à présent.

La dernière fois que j'ai vu Walter, c'était sur mon lit d'hôpital, juste avant ma fuite. Je lui ai téléphoné trois jours plus tard – la veille du Nouvel An – et il m'a convoqué au siège de l'Association. Ensuite, plus de nouvelles, rien. Porte close. Même mademoiselle Rose, que j'ai finalement réussi à contacter, m'a éconduit. Et là, je retrouve Walter attablé avec des individus dont le seul point commun est de saborder le travail de l'Association !

On est loin des fondamentaux de l'organisation qui m'a recruté...

Quel rôle vient jouer mon chamane sibérien plein d'esprits, qui en veut à Walter et n'aime ni les vampires ni les garous ?

D'où sortent ces mercenaires sur le pied de guerre, dont les objectifs sont aussi flous que leurs compétences ?

Que devient l'organisation mystérieuse (étrangement tranquille en ce moment...) qui affectionne les Taser trafiqués et les sortilèges agressifs, et dont l'unique but semble de nous buter, Ombe et moi ?

« Quand je disais "ne fais rien", Jasp, je pensais "ne bouge pas" ! Qu'est-ce que tu attends pour écouter ce qu'ils disent ?

– On est trop loin, Ombe.

– Désolant… Tu n'es pas magicien ? »

Si. Parfois. Surtout quand j'ai ma sacoche.

Cependant, Ombe n'a pas tort. Moi aussi, je suis curieux d'entendre la discussion en cours.

Sans plantes, pierres ou métaux, l'exercice risque d'être difficile (je n'ai pas dit impossible ; pas encore !).

Fafnir me manque. Pas Fafnir tout court, qui a simplement changé d'enveloppe et vampirise à présent une gourmette. Mais Fafnir-scarabée, qui était un insurpassable maître espion.

Inutile de me lamenter sur ce que je n'ai plus. Je dois aborder le problème positivement.

Les énergies qui affleurent le long des roches constituent un bon point de départ. Je pose une main contre la paroi derrière moi.

Mes sens de magicien, sensibles aux perturbations élémentales, ne tardent pas à repérer une ligne de force plongeant jusqu'au centre de la caverne.

Il suffit maintenant de se brancher dessus, avec les bons instruments. En l'occurrence trois runes, tracées avec mon sang.

Je choisis *Thursaz*, la Montagne, parfaite pour capter l'énergie tellurique. Ainsi qu'*Ingwaz*, le Clou, pour sa capacité à concentrer cette énergie sur un point précis. Enfin, *Gebu*, l'Oreille, qui établit les communications.

Je m'écorche l'index sur une pierre coupante et,

ignorant la douleur, je dessine du bout du doigt sur la roche les signes magiques.

En murmurant les mots qui activeront leurs pouvoirs :

– ᚨᛈᛈᛟᚱᛏ ᛚᚨᚹᛁ ᛞᚨᚾᛊ ᛚᚨᛈᛁ ᚱᚱ ,ᛏᚺᚢᚱᛊᚨᛉ, ᛟ ᛗ ᛗ ᚢ ᚾ ᚢ ᚹ ᛁᚱᚱᛁᚷᚢ ᚨᚾᛏ ᛚ ᛞ ᛊ ᚱᛏ ; ᚲ ᚢ ᛚ' ᚾ ᚱ ᚷᛁ ᛁᚱ ᚢ ᛚ ᛈᛚᚢ ᛊ ᚠᛟᚱᛏ , ᛞ ᛒᚨᛊ ᚾ ᚺᚨᚢᛏ ! ᛁᚾᚷᚹ ᚨᛉ, ᚠᚨᛁᛊ-ᛚᚨ ᚷᚨᛁᛚᛚᛁᚱ ᛟ ᛗ ᛗ ᚢ ᚾ ᛊᛟᚢᚱ ᛒᛁ ᚾᚠᚨᛁᛊᚨᚾᛏ ! ᛏ ᛏᛟᛁ, ᚷ ᛒᚢ, ᚺ ᚨᚱᚱᛁ ᛞᚨᚾᛊ ᛚ ᛊ ᛟᛏᛊ ᛚ ᛊ ᛗᛟᛏᛊ ᚲᚢᛁ ᛊ ᛞᛁᛊ ᚾᛏ ! Apporte la vie dans la pierre, *Thursaz*, comme un fleuve irriguant le désert ; que l'énergie circule plus fort, de bas en haut ! *Ingwaz*, fais-la jaillir comme une source bienfaisante ! Et toi, *Gebu*, charrie dans les flots les mots qui se disent !

Ça devrait fonctionner.

Je colle mon oreille contre la pierre (il ne faut pas rêver, les runes ne transforment pas les rochers en haut-parleurs !) et distingue aussitôt les bribes d'une conversation.

– … Fulgence… hors de portée…

Il me semble que c'est Siyah qui parle, mais impossible d'être sûr.

– … incapables… maître sera furieux…

Là, ça serait plutôt Walter. Les sons, à travers la roche, ont tendance à se ressembler tous.

– … concentrer efforts… disloquer la Barrière…

Encore Walter.

Gesticulant, visiblement sous l'emprise de la colère, le

patron de l'Association s'éloigne de quelques pas, suivi par les autres qui tirent une tronche pas possible. Je n'entends presque plus rien.

En soupirant, je me décolle de la paroi.

« Alors ?

– Alors quoi, Ombe ? Tu as entendu, comme moi.

– Fulgence, ce n'est pas n'importe qui. C'est le big boss *de l'Association ! Il dirige aussi le bureau de Londres.*

– Ils en ont après lui, sans succès visiblement. Ça met Walter en rogne.

– Et la Barrière ? De quoi parlent-ils ?

– Si un jour mademoiselle Rose redevient quelqu'un de normal, Ombe, c'est-à-dire répondant au téléphone, s'inquiétant des problèmes des stagiaires et envoyant pour les convoquer un courrier plutôt qu'un trio de mercenaires, je lui poserai la question, promis ! »

Ce jour-là me semble néanmoins très éloigné.

J'en suis à ce stade de mes réflexions quand une intense agitation s'empare de la caverne. Deux lycans ont mis la main sur un intrus qui se laisse entraîner sans résistance.

– Otchi ! je m'exclame à voix basse.

« À tes souhaits !

– Très drôle, Ombe.

– Je détends l'atmosphère. Maintenant la voix est libre, Jasp. Tu peux faire demi-tour quand tu veux.

– Je n'en ai plus envie. Que dirais-tu d'un peu d'action ?»

Sans attendre la réponse de ma coéquipière préfé-rée, je quitte mon recoin et, profitant de l'efferves-cence, me faufile de rocher en rocher, m'approchant dangereusement du centre de la caverne. Bien décidé à ne pas rater la symphonie pour tambour et clochette d'Otchi...

« Ça risque de chauffer, hein ?

– Je compte là-dessus, Ombe. Rien de tel qu'une bonne diversion pour agir.

– Qu'est-ce que tu vas faire, Jasper ?

– Improviser !

– Tu vas aider Walter ?

– Donner un coup de main au chamane, plutôt.

– Pourquoi le chamane ?

– Parce que tout le monde dans cette salle a l'air embêté de le voir ! Tu sais comme j'apprécie les trouble-fête ! »

L'air embêté, j'ai dit ? C'est un peu faible pour décrire l'état de panique qui s'empare des quatre hommes en découvrant l'identité de leur prisonnier !

Siyah abandonne son fauteuil et recule sans quitter Otchi des yeux.

Séverin feule en découvrant ses dents et Trulez commence à se transformer.

Walter, lui, se lève d'un bond, plus blanc qu'un linge.

Bon sang, mais c'est qui, ce sorcier ? On dirait que je suis le seul à l'ignorer !

Otchi n'esquisse pas le moindre geste pour échapper à l'étreinte des gardes. Ignorant superbement les autres, il se contente de darder sur Walter un regard terrible.

Soudain, plus personne ne bouge. On dirait qu'un sortilège vient de transformer l'ensemble des protagonistes en statues de cire.

Je me rends compte que je retiens ma respiration et que je tremble de tous mes membres.

« Jasp, ça va ? »

Je ne réponds pas.

Un éclair de lumière rouge. Je ressens l'appel, un appel puissant. Un appel d'air intérieur. La simple aura du chamane a déclenché ma fuite, éperdue, au centre de moi-même. **Où je me calme en foulant l'herbe ensanglantée d'une steppe infinie...**

Je me force à respirer de nouveau.

À sortir de la panique dans laquelle m'a plongé le regard d'Otchi, qui ne m'était pas destiné.

C'est alors que se produit un deuxième coup de théâtre.

Surgissant d'un couloir, au sud, trois hommes en tenue de commando, lourdement armés, font irruption dans la caverne. Ils se postent de part et d'autre de l'entrée, pointant leurs fusils d'assaut sur les lycans ébahis.

Lorsqu'un quatrième individu pénètre à son tour dans la caverne, je lâche un cri de surprise qui, dans le brouhaha ambiant, passe heureusement inaperçu.

Mademoiselle Rose !

Une mademoiselle Rose déguisée en Jeanne d'Arc, moitié chevalier Teutonique, moitié Lara Croft.

Une cotte de mailles étincelle sous la lumière vive des torches.

Je distingue un sabre japonais accroché dans son dos et un pistolet énorme à sa ceinture.

Ainsi que des gants de fer et un bâton orné de runes qui aurait rendu Saroumane fou de jalousie.

« Tu vois ce que je vois, Jasper ?

– Oui… »

Otchi, puis mademoiselle Rose. Ma stupéfaction s'accroît encore en entendant la voix forte et autoritaire de la secrétaire :

– Ceci est une intervention de l'Association. Que tout le monde recule face au mur, les mains sur la tête. Je ne le répéterai pas deux fois.

J'ai à peine le temps de voir la surprise envahir le visage de mademoiselle Rose lorsqu'elle découvre Walter au milieu des grands méchants.

Car les lycans, sans tenir compte de son avertissement, se précipitent vers la secrétaire de l'Association en hurlant et en se métamorphosant.

Post-it

Tu es un Agent et chaque Agent est responsable de l'Association.

7

Planqué derrière mon rocher, les jambes flageolantes, je ne peux rien faire qu'assister au massacre…

« *Tu as vu ça, Jasp ?!* »

Sous mes yeux, deux loups-garous se font cribler de balles à forte teneur en argent (à en croire les spasmes qui les secouent) par les gardes du corps de notre chère secrétaire.

« *Elle bouge plus vite qu'un vampire !* »

Mademoiselle Croft (ou Lara Rose, je ne sais plus) décapite un lycan avec son sabre étincelant.

On peut effectivement parler de massacre…

Mais les victimes ne sont pas celles que je croyais !

« *On reconnaît bien le style coupant de mademoiselle Rose…*

– Ah ah ! C'est pas le moment de faire de l'humour, Jasper. Les autres, ce sont des Agents ?

– Des mercenaires. Du genre de ceux qui pourchassaient Otchi et qui s'en sont pris à ma porte, ce matin. »

Ce qui me ramène à des considérations beaucoup moins admiratives.

Quoi qu'il en soit – et malgré le comportement récemment hostile de mademoiselle Rose envers moi – je ne peux empêcher mon cœur de prendre son parti.

Pendant que je bavarde silencieusement avec Ombe et avec moi-même, Siyah, Séverin et Trulez s'éclipsent discrètement.

– Les rats quittent le navire, je murmure entre mes dents.

Un cri.

Mon regard revient sur la bataille qui se livre à l'autre bout de la caverne. Un lycan monstrueux vient de planter ses crocs dans l'épaule de mademoiselle Rose.

Mon âme chavire.

Je suis là, je regarde, sans bouger, sans participer à l'action qui met en présence l'Association et ses ennemis.

Combien de fois ai-je rêvé d'un moment pareil, d'une bataille où mademoiselle Rose, Walter, le Sphinx et moi combattrions ensemble ! Une bataille qui aurait scellé mon appartenance au camp de la lumière.

Alors pourquoi est-ce que je me cache ? Si ce n'est pas l'envie qui me manque, c'est… c'est la peur qui me tétanise.

J'ai peur de me montrer, de sentir sur moi une fois encore les yeux d'Otchi.

Son regard me transperce et me brûle.

Comme la première fois, dans le métro, mais puissance dix.

Il me retire toute force.

Un hurlement.

Je me contracte, rentre la tête dans les épaules.

Les larmes jaillissent de mes yeux…

« *Waouh ! Jasper, je révise mon opinion sur le Moyen Âge !* »

Je m'oblige à regarder.

C'est le loup-garou qui hurle de douleur, la mâchoire pleine de sang !

Je ne sais pas de quoi est constituée la cotte de mailles de notre chère Lara Rose, mais l'imbécile vient d'y laisser quelques dents.

Un immense soulagement m'envahit.

– Ça y est, tu as fini de jouer ? lance mademoiselle Rose d'une voix forte et pleine d'ironie. Alors à la niche, maintenant !

Elle fait virevolter le lourd bâton qui n'a pas quitté sa main gauche et assène au lycan édenté un coup puissant qui lui fend le crâne.

« *C'est pas juste, elle me vole mes répliques !*

– C'est le genre de trucs qu'on dit spontanément à un garou… enfin, à un garou qui cherche à mordre. Désolé, Ombe.

– C'est pas grave, Jasp. Les garous sympas ne sont pas représentatifs de l'espèce. »

Mademoiselle Rose est hors de danger.

Dark Walter, lui, n'a rien suivi du combat. Il est également resté indifférent à la fuite de ses petits (faux) camarades.

Tétanisé, il accorde toute son attention à Otchi, qui semble lui faire le même effet qu'à moi…

Le chamane sautille énergiquement autour de Walter en agitant son tambour, accomplissant une sorte de cercle ressemblant fort à un pentacle…

« Ça doit faire hyper mal !

– De tracer un pentacle ?

– Non, idiot. De se faire arracher un bras. »

À quelques pas de notre supersecrétaire, un mercenaire du groupe des *Guns n'Rose* passe un sale moment.

Deux garous surexcités sont en train de le dévorer vivant (beurk).

Mademoiselle Rose se rue sur les monstres.

Elle en frappe un au visage avec son gantelet métallique, cueille l'autre à l'estomac avec un coup de pied fouetté et, sortant un flingue gigantesque de sa ceinture, vide un chargeur entier sur les garous.

Puis elle se penche sur ce qui reste du soldat et secoue la tête.

« À toi, Jasper !

– À moi ? Mais… qu'est-ce que tu veux que je fasse ? Il se passe au moins trois trucs dingues en même temps !

– Va aider mademoiselle Rose ! Libère Walter ! Poursuis les fuyards ! N'importe quoi, mais bouge ! »

Les invectives d'Ombe font mouche. J'essaye de m'extirper de ma torpeur.

Sans y parvenir.

J'ai les jambes comme de la guimauve.

Et une voix, en moi, me crie de ne pas faire l'imbécile, de rester planqué loin du chamane.

Comment expliquer tout ça à Ombe ?

« Mademoiselle Rose n'a pas besoin de mon aide. Elle a déjà rétamé quatre lycans, et autant pour les Robocop qui l'accompagnent…

– Sur ce point, Jasp, tu n'as pas tort. Quelle leçon ! Je me doutais bien que mademoiselle Rose dissimulait sa vraie nature. Mais de là à imaginer…

– Tu as vu son bâton ? Ma main au feu que c'est un bâton de pouvoir. Capable de concentrer une grande quantité d'énergie pour la projeter sur un obstacle. Aucun doute, Ombe : mademoiselle Rose est une magicienne puissante.

– Mais Walter ? Seul avec cet horrible sorcier !

– Il n'est pas horrible, tu exagères. C'est vrai qu'il n'est pas très beau, mais il ne faut pas juger les gens sur leur apparence. Regarde, moi par exemple, je…

– Je te l'ai déjà dit, Jasper, c'est pas le moment de plaisanter.

– Excuse-moi. Pour Walter, j'ai bien peur que ce soit trop tard. L'horrible sorcier, comme tu dis, a édifié un horrible cercle qui les isole de l'horrible extérieur. Et je mets mon autre main à couper que sa protection est plus solide que du béton armé.

– Il reste le mage, le vampire et Trulez – que les mites lui bouffent les poils !

– Pour tout t'avouer, Ombe, c'est sûrement le contrecoup de la bagarre contre Lakej, mais je me sens totalement incapable de me lancer à la poursuite de qui que ce soit…

– Tu me déçois, Jasp.

– J'en suis désolé, Ombe, crois-moi. »

Un cri étonné résonne dans la caverne.

C'est Walter qui l'a poussé.

En constatant, peut-être, qu'il est devenu prisonnier d'un cercle mystique. Ou en sentant sur lui s'intensifier le regard d'Otchi.

L'effet de ce cri – bien plus que le hurlement du lycan édenté – est immédiat. Je redouble de tremblements et mes dents s'entre-choquent.

La panique s'empare également des monstres survivants qui rompent le combat et détalent dans les couloirs.

D'un geste, mademoiselle Rose retient ses hommes prêts à s'élancer derrière les fuyards. Elle n'a d'yeux que pour la scène qui se déroule devant elle.

Une scène avec, dans les rôles principaux, un sorcier venu pour des raisons obscures de sa lointaine Sibérie et le chef de l'Association, Walter *himself* (ou presque : sans cravate affreuse, Walter est-il vraiment Walter ?)…

Les sept collines

(Dessins tirés des Rouleaux de Sang d'Otchi*, avec les commentaires de Jasper)*

Cette scène-là est plus complexe que celle du rouleau précédent, qui dressait un état des lieux du monde et des pouvoirs du chamane. Ici, Otchi raconte une histoire (sa propre initiation ?).

En effet, un individu est allongé sur le sol (Otchi? Dans le doute, je vais l'appeler le «jeune chamane»). C'est la nuit. Un homme (son maître?) invoque des esprits. Le jeune chamane commence alors un voyage immobile par l'intermédiaire de son corps astral.

Le corps astral du jeune chamane se rend dans un lieu où se dressent sept collines (d'où le titre de la séquence... je suis perspicace, je sais!).

Dans ce lieu (très certainement) sacré, le jeune chamane rencontre un homme (je vais l'appeler «forgeron», à cause du marteau qu'il brandit) qui l'attrape et le met à bouillir dans un chaudron. Puis il le sort et frappe dessus avec un marteau.

La symbolique est évidente: le forgeron fabrique un homme nouveau, sans doute doté de capacités exceptionnelles.

L'initié, transformé, est rendu à sa vie. C'est à présent un chamane accompli (il a un tambour dans la main et un esprit qui l'accompagne).

Il chemine, peut-être pour regagner son corps, sur lequel veille l'homme au feu (son maître ?).

Mais il arrive un incident imprévu (voir les tremblements d'effroi de l'esprit) : le jeune chamane tombe dans un trou, en direction des mondes inférieurs...

8

Cette fois, Walter ne peut plus reculer.

J'entends par là qu'il est dos au mur.

Prisonnier du cercle qu'Otchi, profitant de la confusion, a tracé sur le sol, en sautillant et en marmonnant (ce que je n'aurais jamais songé à faire, par peur, peut-être, d'être surnommé ensuite Jasper le Bondissant – on attrape vite un sobriquet dans le milieu des sorciers).

Comme une bête prise au piège, Walter observe avec inquiétude le chamane s'approcher. Il pousse un deuxième cri, mélange de peur et de rage froide.

Un cri que je pourrais pousser, si j'étais à sa place ! Bon sang…

– Ne t'approche pas de lui !

Mademoiselle Rose apostrophe Otchi, le pivot du pentacle. Sa voix a retenti, terrible, sous la voûte de la caverne.

Las ! le chamane ne tourne même pas la tête, continuant de fixer avec des yeux plus durs que du métal un Walter qui n'en mène pas large.

– Recule !

Encore mademoiselle Rose. Avec cette différence qu'elle s'est avancée de plusieurs mètres et qu'elle a levé son bâton de pouvoir.

Mais Otchi reste sourd aux injonctions de la guerrière. Il sort de sa besace un étrange pendentif qu'il agite sous les yeux de Walter.

Je suis trop loin pour distinguer les détails. Cependant, je sens déferler sur moi un nouveau sentiment de panique. La scène m'évoque un je-ne-sais-quoi de familier.

Un éclair de lumière rouge.

Encore ce vortex, cette aspiration vers un gigantesque puits intérieur dans lequel je plonge et je me noie.

Je suis dans la même grotte, et pourtant elle est différente. À moins que ce ne soit moi. Je ne me reconnais pas. Plus grand, plus fort, indifférent au drame qui se joue...

Je remonte de ma vision en suffoquant.

« Jasper, tout va bien ?

– Ça va, Ombe. C'est juste que... Ça fait un choc de voir ça !

– Je suis d'accord ! Pauvre Walter. »

Pourquoi je mens à mon amie ? C'est absurde…

Comme une vraie Obélix (c'est-à-dire sans place pour la concorde), mademoiselle Rose décide d'agir.

Gonflé à bloc par les énergies massivement présentes dans les roches alentour, le lourd bâton, celui avec lequel la « sorcrétaire » a fendu le crâne d'un loup-garou, crépite d'étincelles jaunes. Quelques mots déclencheurs (du runique, il me semble) mettent le feu aux foudres et un torrent de flammes heurte avec violence la protection érigée par le chamane.

Qui s'en moque comme d'une guigne.

Car les gouttes de sueur baignant son crâne ne sont pas provoquées par l'assaut de mademoiselle Rose. Tendu à l'extrême, Otchi affronte le chef de l'Association dans un extraordinaire duel, immobile et silencieux.

Lui, le sorcier, gardant Walter sous la menace d'un bijou pulsant d'une vie propre (banal, dirait Fafnir en haussant les épaules s'il en possédait).

Lui, Walter, tremblant de tous ses membres mais soutenant fièrement le regard impitoyable du sorcier.

Je ressens pour le chef de l'Association une admiration sincère. Je n'aurais pas été capable, moi, de conserver ma dignité face à Otchi.

« *C'est peut-être le moment de donner un coup de main à mademoiselle Rose. J'ai l'impression qu'elle est au bout du rouleau.* »

Effectivement, à vue de nez, les attaques magiques de notre sorcière bien-aimée se révèlent totalement inopérantes (bon sang, magicien, c'est complètement nul; quand je serai grand, je serai chamane!).

« Désolé, Ombe, mais nous allons devoir continuer à jouer les figurants. Je ne suis toujours pas rétabli... C'est nul et tu es déçue, je sais. Mais je ne peux pas faire autrement.

– Ah... Ouais, c'est nul. En tout cas, merci pour le "nous", ça me touche.

– Pour être franc, je n'ai pas fait exprès.

– Alors c'est encore mieux. »

Dans le cercle, la tension grimpe d'un cran lorsque Walter met un genou à terre. Je vois la colère de mademoiselle Rose se changer en inquiétude.

Étrangement, je ne ressens aucun sentiment de révolte. Seulement de la trouille, une grande fatigue et la certitude que je ne voudrais, pour rien au monde, être à la place de Walter...

Je devrais être furieux, choqué, humilié par le traitement que subit en ce moment le patron de l'Association. Mais sa détresse ne provoque rien d'autre chez moi qu'un irrépressible désir de fuite.

J'essaye de me rappeler sa présence paternelle, à l'hôpital, lorsque je souffrais dans mon corps et mon âme, lorsque je pleurais sur son épaule, abandonné et confiant.

Mais ça ne change rien.

Qu'est-ce qui m'arrive ?

Est-ce l'influence de cet autre moi surgi, tout à l'heure, d'un rêve éveillé – **coloré en rouge** ?

Est-ce à force de jouer les justiciers solitaires ?

Voilà huit jours que mes actes, des plus anodins aux plus importants, se font en dehors de l'Association, sans elle et même parfois... contre elle.

– Est-ce que cela suffit, huit petits jours, pour bouleverser une vie ? je murmure à voix haute.

« Une vie peut basculer en une journée, Jasper. En une heure. En une minute...

– Je suis désolé, Ombe.

– Tu peux. Je ne parlais pas de moi mais de toi ! »

Un troisième hurlement interrompt notre conversation silencieuse.

Walter gît à présent sur le sol, secoué par des spasmes violents. Des soubresauts spectaculaires, qui n'ont absolument rien d'humain.

– Qu'est-ce que ce maudit chamane est en train de lui faire ? je murmure encore, en dissimulant à Ombe mon timbre terrifié.

« Et si on s'approchait, Jasp ? Autant jouer les voyeurs dans de bonnes conditions !

– Trop risqué. Mademoiselle Rose nous repérerait. Je préfère rester là.

– Tu te caches de mademoiselle Rose, maintenant ?

Après toute l'énergie que tu as déployée pour attirer son attention ?

– Pas d'ironie, Ombe. Tu oublies les mercenaires de ce matin ! »

Je ne veux pas confier à Ombe qu'en réalité c'est Otchi qui me flanque une frousse bleue. Pourquoi n'éprouve-t-elle pas la même peur panique que moi ? Parce que nous sommes liés mais distincts. C'est vrai qu'Ombe ne peut pas lire mes pensées secrètes. Je sais aussi, à présent, qu'elle reste insensible aux œillades des chamanes sibériens...

Mademoiselle Rose se précipite contre les protections magiques.

– Vous allez vous faire mal pour rien, je murmure.

Constatant la solidité de la barrière, elle cesse bientôt de marteler le champ de force, jetant des regards désespérés à l'intérieur, où le chef de l'Association continue de convulser.

Soudain, Walter se raidit. Son corps s'arc-boute.

Il exhale un soupir puissant, audible jusqu'au fond de la caverne.

Et puis une fumée noire s'arrache, réticente, à sa chair et flotte dans les airs, brume épaisse et malsaine, se gonflant et se dégonflant sous l'effet d'une atroce res-piration, avalant la lumière autour d'elle.

Brusquement rendu à lui-même, Walter retombe lourdement sur le sol.

Un frisson glacé court sur ma peau.

« Qu'est-ce qui se passe, Jasper ?

– On dirait que... qu'Otchi vient de pratiquer un exorcisme !

– Sur Walter ?

– Tu ne veux pas attendre la fin pour poser tes questions ?

– Dis tout de suite que je te soûle !

– Tu me soûles, Ombe. »

Walter était donc possédé ? Je n'en reviens pas !

Mais la chose noire qui flotte dans le pentacle est bien réelle. Et sûrement encore dangereuse.

Flash de lumière rouge.

Je suis de nouveau dans l'arène. Entouré de choses noires, de formes ténébreuses, qui vocifèrent des encouragements...

Je m'accroche à la roche pour ne pas vaciller.

Le chamane tourne vers la brume maléfique le pendentif utilisé sur Walter, en prononçant d'une voix faible :

– Mirdautas quiinubat, Khalk'rugûl !

Cette langue ne m'est pas inconnue.

Elle pénètre en moi, elle me caresse.

Elle projette des reflets vermillon.

Elle a un goût de **fer rouillé** (comment je peux savoir ça, moi ? Je vire cinglé ! Au secours !).

Ces trois mots ont un effet radical. La fumée se tord

dans tous les sens et se dissipe lentement, comme à regret.

Épuisé, le chamane tombe à genoux.

En même temps que s'effondrent les murs que son sortilège avait dressés.

Poussant un cri de rage, mademoiselle Rose s'engouffre dans le cercle, sabre au clair. Derrière elle, les mercenaires ont levé leurs armes et mettent le sorcier en joue.

Otchi n'a aucune réaction. Il reste prostré sur le sol, hébété.

Alors que mademoiselle Rose, furieuse, lève sa lame au-dessus du cou du sorcier, Walter trouve la force de se redresser. S'appuyant sur un coude, il lève un bras tremblant pour empêcher le massacre.

– Rose, non ! Arrêtez !... Otchi... vient de me sauver !...

Devant l'air incrédule de mademoiselle Rose, il ajoute :

– Il vient de nous sauver tous...

Ça, c'est ce que j'appelle un sacré coup de théâtre.

Le pays des Ossements

(Dessins tirés des **Rouleaux de Sang d'Otchi,** *avec les commentaires de Jasper)*

Il s'agit de la suite directe du parchemin précédent. Le jeune chamane, tombé dans une crevasse, se retrouve dans les mondes inférieurs. Plus exactement, il tombe dans la mare décrite dans le premier rouleau (on distingue la même corde). L'esprit qui l'accompagnait reste à la surface.

Le jeune chamane, son tambour à la main, contemple une montagne qui se dresse en arrière-plan. La brume suggère la chaleur. La montagne est surmontée d'un nuage qui lance des éclairs (la signification n'est pas évidente). Il y a des os et des crânes autour (allusion directe au titre du rouleau : on se trouve bien dans le pays des Ossements).

Le jeune chamane, à l'aide de son tambour, appelle à lui l'esprit resté à la surface.

Chevauchant l'esprit, il échappe à des loups (je crois...) ainsi qu'à un ravin lui aussi rempli d'ossements.

Il survole ensuite un cercle où se battent des géants.

Enfin, il découvre une mer étrange, peuplée de requins (ou de rochers ?).

On retrouve ensuite le chamane poursuivi par des créatures vindicatives, qui abattent sa monture-esprit (les esprits sont donc mortels dans ce monde, d'où la

peur et les tremblements de celui-ci depuis le début). Le chamane réussit à s'échapper (à regagner son monde ?) en passant par un trou d'arbre.

La créature plus grande que les autres, aux membres multiples et démesurés, est désignée par des runes sibériennes comme étant Khalk'ru, le maître du royaume des démons de ténèbres…

9

Dans le pentacle chamanique brisé, le temps s'est arrêté. Mademoiselle Rose a baissé son sabre mais les mercenaires tiennent Otchi en respect.

Immobiles.

Le petit sorcier, agenouillé, respire avec difficulté. Le pendentif qui a servi à exorciser le chef de l'Association pend dans sa main.

Éteint.

La tenaille qui étreignait mon cœur relâche lentement sa pression.

Le chamane est inoffensif, à présent.

Walter a rampé jusqu'à lui et tient sa main, comme à un mourant.

« Walter était donc possédé par une entité maléfique…

– Oui, Ombe. Ça explique l'alliance improbable avec Séverin, Siyah et Trulez.

– Et le costume impeccable !

– On croyait tous qu'Otchi cherchait Walter pour le tuer. Il voulait seulement l'exorciser… C'était un énorme, un effroyable malentendu !

– Il n'a pas l'air en forme, ton chamane.

– Il est venu de Sibérie, Ombe. Il a affronté des mercenaires, des vampires, des lycans et des démons ! On serait fatigué pour moins que ça.

– Quelle ténacité…

– Je me demande comment mademoiselle Rose a pu se laisser berner.

– Moi, je me demande pourquoi le Sphinx n'est pas là. Il n'aurait jamais laissé mademoiselle Rose venir seule.

– Tu as raison, Ombe. Il y a plein de trucs qui clochent. »

Je n'ai pas le temps d'en dire davantage.

Ni de me lever pour rejoindre mademoiselle Rose et Walter (plus rien ne m'en empêche, puisque Otchi se trouve hors d'état d'assener des regards qui tuent).

Un craquement sinistre, un affreux bruit de déchirure, résonne dans la caverne ; la roche se fend et donne naissance à une crevasse dans le pentacle qui provoque la retraite de mademoiselle Rose et de ses mercenaires.

Des racines ténébreuses jaillissent de la fissure…

Bon sang ! j'ai déjà vu ces horreurs ! Rue Allan-Kardec, dans l'appartement où se réunissait le Cénacle spirite.

Des racines grosses comme le bras et longues comme des fouets, vrillées, torturées, sombres comme la nuit la plus noire. Elles ont transformé des vieilles dames terrorisées en cadavres calcinés. Otchi n'a dû son salut qu'à son tambour de métal rouge.

Les racines ténébreuses sont de retour et quelque chose me dit que, cette fois, elles viennent pour le chamane.

Elles s'abattent d'abord sur Walter, l'écartant brutalement de son ami. Puis elles agrippent solidement Otchi, qui n'esquisse pas un geste pour se défendre.

Je ne comprends pas. Même fatigué, même épuisé, il devrait résister ! Il a bien vu de quoi ces lianes sont capables ! À croire que, son travail accompli, le chamane se désintéresse de son propre sort…

L'un des mercenaires lâche une rafale d'arme automatique dans la racine la plus proche. Un goudron visqueux s'échappe de la liane blessée, qui vibre de douleur. Folles de rage, les racines abandonnent Otchi et fondent sur le mercenaire, s'enroulant autour de lui sans qu'il ait le temps de réagir.

Sa chair brûle, dégageant une odeur épouvantable.

Il gigote affreusement avant de se figer, mort.

Plus pâle que d'habitude, mademoiselle Rose se précipite en brandissant le bâton de pouvoir.

Je retiens mon souffle. J'espère de toutes mes forces que ce sera suffisant pour affronter les monstruosités qui ont fait irruption dans notre monde.

Comme hier face au tambour d'Otchi, les racines hésitent.

Ont-elles senti une magie capable de contrecarrer la leur ? Ou bien ne veulent-elles pas rester trop longtemps loin des ténèbres infernales qui les ont mandatées ?

Ou, plus simplement, considèrent-elles leur mission terminée ?

Frémissant de colère, elles empoignent à nouveau Otchi et disparaissent avec lui dans la fissure où elles sont apparues.

« C'était quoi, ça ?

– Les doigts de l'enfer, ma vieille. Venus chercher le vilain exorciste pour le punir d'avoir fait capoter je ne sais quel plan diabolique.

– Ça ne te touche pas plus que ça ? Même mademoiselle Rose est sous le choc !

– J'ai déjà assisté à une scène semblable, Ombe. Ça blinde. »

Ce n'est pas la véritable explication, et pourtant je n'ai pas menti à mon amie : j'ai déjà vécu cette scène. Rue Allan-Kardec. Et dans un inexplicable rêve rouge.

Un rêve aux frontières du réel, **un souvenir qui n'en est pas un mais presque...**

« Alors, on fait quoi, Jasp ?

– L'option la plus logique serait, comme tu le proposais, de rejoindre les survivants en bas pour de chaleureuses retrouvailles.

– Tu es flippant… Tu t'en rends compte, Jasper ?

– Ouais.

– Et la seconde option ?

– Repartir par où on est venus, sans bruit. Attendre, pour reprendre contact avec l'Association, que Walter remette une cravate pourrie et que mademoiselle Rose troque sa tenue de Walkyrie contre un vaillant petit tailleur… »

Ce que je ne peux pas t'avouer, Ombe, c'est que la scène à laquelle on vient d'assister me remue les tripes.

Les paroles d'une chanson me reviennent, que je fredonne, en guise d'oraison funèbre :

And there will never be
Another one like you
There will never be
Another one who can
Do the things you do, oh…
How I must feel
Out on the meadows
While you run on the field
I'm alone for you
And I cry[1]*…*

Tu m'as fait courir, Sibérien. Tu m'as flanqué des sueurs froides et je n'ai pas compris tes motivations, ni ce qu'il y avait dans ton regard. Cependant… tu aurais eu tant à m'apprendre !

1 *The Doors*, « Shaman's Blues »

À présent, je n'ai envie que d'une chose: fuir cet endroit. Un endroit sur lequel flotte une invisible brume rouge et où brillent les deux yeux brûlants d'un chamane emporté par les ténèbres.

Malheureusement, les sbires de mademoiselle Rose se sont déplacés et bloquent à présent les accès à la caverne.

Oubliant un couloir secondaire, sombre, dissimulé dans un angle mort, que j'ai repéré un peu plus tôt en me glissant jusqu'à mon rocher.

Je m'arrache à mon abri et, le cœur battant, me faufile jusqu'à cette sortie de secours inespérée.

Je n'ose pas utiliser ma gourmette pour demander à Fafnir d'éclairer le boyau dans lequel je m'engage. J'ai l'impression que toute lumière, en ces lieux obscurs, serait visible comme le faisceau d'un phare dans une nuit d'encre.

Ombe reste silencieuse.

« Ce n'est pas parce que je me tais que je ne suis pas là », m'a-t-elle avoué tout à l'heure. Message bien reçu.

D'autant que je ne manque pas de sujets de réflexion.

À commencer par mon préféré: moi-même!

En moins d'une semaine, j'ai réussi à perdre une presque-sœur (toi, mon Ombe), un ami (Jean-Lu ne me pardonnera jamais mes mensonges), une copine (pour Nina, je suis maintenant une brute sanguinaire) et un mentor potentiel (Otchi).

J'ai tué un homme, volé un cadavre, menacé un

vampire, traité avec une goule, massacré un lycan, assommé des mercenaires, menti à ma mère, pénétré par effraction dans une maison, une cave et deux appartements, caché et détruit des preuves de crime.

Tout ça pour quoi ? Pour me retrouver plus seul que jamais, plongé dans une situation inextricable à laquelle je ne comprends rien…

Comment un esprit démoniaque a-t-il pu tromper la vigilance de Walter ? Qu'est-ce que le Walter possédé trafiquait avec un magicien, un maître vampire et un ancien chef de clan garou ?

Pourquoi cette impression que mademoiselle Rose était totalement dépassée elle aussi ? Et où sont les Agents, bon sang ? Une fois de plus, c'était des mercenaires qui l'accompagnaient…

J'aurais aimé faire part de toutes ces questions à mademoiselle Rose.

Cependant, suis-je encore le bienvenu rue du Horla ? Mes tentatives de ces derniers jours semblent indiquer une incompréhensible mais évidente disgrâce…

Une lueur vague au bout du tunnel me signale non pas que je serai bientôt débarrassé de mon âme torturée, mais que j'approche enfin d'une sortie.

Je ne suis pas claustrophobe (cause-trop-phile, à la rigueur), cependant, je quitterais volontiers ces lieux obscurs !

Une armoire qui pivote, une cave, une volée de marches et une ruelle.

Non, un cul-de-sac : un haut mur barre le fond de l'impasse.

De l'autre côté, deux silhouettes patibulaires bloquent l'unique issue.

Séverin et Trulez.

Le vampire et le loup-garou.

Le dealer et son homme de main – ou son âme damnée, ce qui revient au même quand on considère cette alliance contre nature : d'ordinaire, les buveurs de sang et les amateurs de chair fraîche ne peuvent pas se blairer ! Il faut vraiment que leurs intérêts communs soient conséquents, ou bien leur commanditaire puissant.

Glups.

Heureusement, je peux toujours faire demi-t...

– Mets tes mains dans le dos, lance Siyah en surgissant derrière moi.

C'est bien le maléfique magicien. Le bandeau qui couvre son œil crevé est noir comme sa barbiche, son abondante chevelure et le reste de ses vêtements.

Ce mage a asservi un troll qui ne cherchait qu'à manger et à « poéter » tranquillement, s'est attaqué à la paisible Créature du lac, puis a essayé de nous assassiner, Ombe et moi. Pour un peu – et vu ses états de sévices – je serais tenté de lui coller sur le dos la révolte des gobelins, ainsi que l'organisation du trafic de métadrogue qui abrutit les Anormaux et qui monopolise l'attention de l'Association depuis plus d'un mois...

Je songe un instant à le bousculer pour m'enfuir. Mais une main menaçante, sur laquelle courent des éclairs, me pousse à lui obéir sans discuter.

Je sens contre mes poignets le contact froid d'une paire de menottes.

– On a eu la même idée, ricane-t-il en les verrouillant d'un geste sec. Emprunter une voie secondaire pour s'éclipser discrètement !

– Vous m'attendiez ? je demande, vexé. Vous avez sûrement employé des trucs de magicien pour me repérer.

– J'ai surtout l'ouïe fine.

– Vous avez quoi ? Le WiFi ? Ça existe en sortilège ?

– Tais-toi, soupire-t-il en me poussant en avant. Tu me fatigues.

Visiblement, Trulez et Séverin m'ont aussi entendu arriver. Pas une once de surprise dans le regard du vampire gigantesque en tenue gothique et au visage ravagé, ni dans celui de l'énorme loup-garou habillé en motard.

De bonté non plus.

Séverin me fixe avec intensité et serre les dents.

« Jolie gueule d'amour ! Tu ne l'as pas raté, Jasp.

– Tiens, Ombe ! De retour ?

– De retour d'où ? Je ne peux aller nulle part.

– Au fond de ma tête, ça c'est sûr.

– Je te l'ai dit, Jasper. Ce n'est pas parce que je ne dis rien...

– … que tu n'es pas là. Je sais, Ombe. Je te taquine, c'est tout.

– Et eux ? Tu vas les taquiner aussi ?

– Que veux-tu que je fasse d'autre ? Dans la vie, ma grande, on fait…

– … ce qu'on sait faire. De la magie, par exemple !

– Sans ingrédients ? Les mains dans le dos ? Laisse tomber, Ombe. »

Je prends une inspiration.

– C'est le dernier endroit où on cause ? je lance à la cantonade pour camoufler ma légitime appréhension.

Ma mère me le répète souvent : mort, il faudra me museler pour m'empêcher de parler à mes voisins de cimetière.

– C'est le dernier endroit où tu auras l'occasion de causer, comme tu dis, annonce sombrement le vampire.

– Nos retrouvailles manquent un peu de chaleur, je réponds sans réfléchir.

Le lycan retient son copain par le bras. Séverin brûle vraiment de me régler mon compte !

– Je vous le confie, annonce Siyah en rebroussant chemin. Mais rappelez-vous : c'est notre prisonnier. Si vous touchez à un seul de ses cheveux, vous aurez affaire à moi.

Le frisson qui parcourt les deux Anormaux trahit la crainte qu'ils ont du magicien.

– Au royaume des aveugles, je me moque suffisamment fort pour que Siyah m'entende, les borgnes sont rois!

L'homme en noir s'arrête, lutte un instant contre la colère qui le submerge, puis fait volte-face, en brandissant un doigt menaçant.

– Un jour, mon garçon, tu payeras tout ça. Au centuple!

Le ton de sa voix et la haine que je lis dans son œil m'incitent à ravaler mes sarcasmes. Je sais qu'il tiendra promesse. Et qu'il faudra, alors, davantage que des mots pour m'en sortir.

« Tu as l'art de te faire des amis, toi.

– Bah, il ne m'aimait déjà pas avant.

– Je te trouve très courageux, Jasper. Si, si. Je tenais à te le dire.

– Un fil seulement sépare le courage de l'inconscience.

– Tu es au courant, Jasp, que deux de ces types ont essayé de me tuer?

– Moi aussi, ma vieille. C'est un talent qu'on a en commun: attirer l'attention des psychopathes. »

Le magicien, toujours furibard (de « furieux » et de « se barrer »), disparaît dans la cave. Un bruit d'engrenages m'apprend qu'il vient de condamner le passage secret, grâce à Dieu sait quel mécanisme.

– Il est parti? demande Séverin à Trulez.

– Il est parti, confirme le garou.

Les deux monstres tournent alors vers moi un visage

illuminé (j'ai hésité avec « enflammé », mais je ne veux pas jeter de l'huile sur le feu ; et puis celui de Trulez, quoique négligé, est seulement rouge d'excitation).

– Tu vas souffrir, petit magicien !

– Oh oui, tu vas souffrir ! Beaucoup et longtemps !

Aïe. Ils n'ont pas l'air de plaisanter (eux !).

Ombe avait raison : pourquoi est-ce que je m'évertue à exciter les gens excitables ?

– Vous avez entendu votre chef ! je bafouille. Je suis votre prisonnier ! Vous devez prendre soin de moi !

– Un : ce n'est pas notre chef, précise Trulez en faisant craquer les articulations de ses doigts. Juste un bailleur de fonds.

Ah tiens, Siyah m'avait l'air plutôt réveillé. En surface, en tout cas.

– Deux, ajoute Séverin en découvrant ses impressionnantes canines : rassure-toi, nous toucherons à tout, sauf à tes cheveux !

J'aurais trouvé sa tentative d'humour poilante, dans d'autres circonstances !

Bon sang…

À part un miracle, je ne vois pas trop ce qui pourrait me chauver – euh, me sauver (ceci constituant un ultime et pathétique trait d'esprit en guise d'épitaphe…).

Post-it

Un stagiaire de l'Association, dans les temps heureux, prend des leçons ; dans les temps critiques, il en donne.

10

Voyons les choses en face : les carottes sont cuites.

Je suis menotté, il y a un mur derrière moi et l'accès au sous-sol a été condamné par Siyah. Je n'ai plus ma sacoche (de toute façon, sans l'usage de mes mains, elle ne m'aurait pas servi à grand-chose), ma bague est déchargée, mon collier protecteur ne me protège que de la magie et la gourmette fafnirienne est au fond de ma poche.

La situation n'est pas brillante.

Si on ajoute un vampire de deux mètres et un loup-garou d'un mètre (de large) qui marchent vers moi d'un pas décidé pour me zigouiller, cette situation devient carrément ingérable.

– Je suis sûr qu'il y a un moyen de s'arranger, je dis en reculant.

Parler est, pour l'instant, ma seule option. Je précise « pour l'instant » parce que après quelques coups dans la tronche, je ne pourrai même plus faire le malin.

Ni Séverin ni Trulez ne semblent disposés à me répondre. Cette fois, ce n'est pas mon baratin qui me sauvera.

Mon cerveau mouline à toute allure.

Un pentacle que je tracerais avec les orteils ? C'est pas le pied. Un sortilège lancé à l'improvisade en langage sacré ? Ça craint. Faire venir Fafnir ? C'est pas dans la poche.

Je prends conscience, brutalement, de ma vulnérabilité. Je suis un magicien de pacotille ! Sans ingrédients et sans préparation, je ne vaux pas un clou.

« *Alors, tu trouves ?*

– Je trouve quoi, Ombe ?

– Eh bien, un moyen pour nous sortir de là !

– J'y travaille, ma vieille, j'y travaille. »

Tu parles. On va y passer, oui !

C'est au moment où je touche à mon tour le fond (mon dos heurte le mur de l'impasse) qu'interviennent deux événements majeurs.

Premier événement : je sens la chaleur m'envahir.

Une chaleur bienfaisante, régénérante, qui se diffuse dans toutes les molécules de mon corps. Mes vêtements donnent l'impression de se consumer, dégageant une épaisse fumée grise, semblable à du brouillard.

Le vampire et le lycan arrêtent net leur progression, une expression inquiète sur le visage.

Une force étrange émane de moi. Je bande mes pauvres muscles de musicos réfractaire à toute forme de sport et, sans effort, brise les menottes qui m'emprisonnent. Elles tombent au sol, à la limite de la fusion.

Je fais craquer mes articulations et un sourire me vient, qui fait reculer les deux monstres.

Je ne m'étonne pas.

Tout me semble parfaitement normal.

N'ai-je pas déjà fait la course avec une meute de loups ? Terrassé une centaine d'ennemis ? Nagé au milieu de poissons autrement plus gros que ces deux minables ?

J'éclate d'un rire féroce.

Deuxième événement : alors que Séverin et Trulez, terrorisés par mon rire, détalent, plusieurs individus surgissent à l'entrée de l'impasse.

Je distingue quatre énormes silhouettes et deux autres beaucoup plus graciles.

Le temps de comprendre ce qui se passe et l'impression de chaleur – de puissance – disparaît.

Me laissant avec de vagues souvenirs rougeâtres et un mal de crâne monstrueux.

« Impressionnant, Jasp, le coup de la fumée et des menottes.

– Je n'ai rien fait, c'est venu tout seul. Tu expliques ça comment ?

– On s'en fout. Le principal, c'est qu'on s'en soit tirés.»

Je ne suis pas tout à fait d'accord. Moi, j'aime bien comprendre…

– Qu'est-ce qui m'arrive ? je soupire en me penchant et en ramassant les menottes encore chaudes, tordues par l'exposition à une chaleur intense.

«Gaffe ! Il y a du monde qui arrive, Jasp !»

Effectivement, les nouveaux venus se sont approchés.

Des loups-garous !

Mais ils se désintéressent totalement de moi, préférant encercler Trulez et Séverin.

«Merde…

– Qu'est-ce qu'il y a, Ombe ?

– Le lycan, là, avec les yeux bleus…

– Ne me dis pas que…

– C'est Nacelnik.

– L'ennemi juré de Trulez !

– L'amour de ma vie…

– Les autres, ce sont des garous de son clan ?

– Oui. Comment sont-ils arrivés jusqu'ici ?

– La réponse est à l'entrée de l'impasse, Ombe, contre le mur.»

Là-bas, dissimulés dans l'ombre, un blondinet à tête de fayot, Jules, Agent stagiaire, tient contre lui une ravissante rousse aux yeux verts.

– Nina, je murmure en me dirigeant vers elle, dans l'indifférence des lycans et du vampire immobiles, sans ajouter « l'amour de ma vie », parce que des amours, dans ma vie, il commence à y en avoir pas mal…

– Jasper ! s'exclame Nina en m'apercevant et en quittant les bras de Jules pour se jeter dans les miens. On avait peur d'arriver trop tard !

Je ferme les yeux pour profiter pleinement de son parfum et du contact de son corps contre le mien.

– Comment vous avez su où j'étais ? je finis par demander, à regret, brisant la magie des retrouvailles.

– C'est Jules, dit-elle simplement.

Je me tourne vers le garçon qui me regarde avec insolence. Je hoche la tête, pour le remercier.

– Jean-Lu ! Comment va-t-il ? je m'enquiers.

– Bien, rassure-toi. Il est à l'hôpital. J'ai dit aux secours qu'il avait glissé dans l'escalier. Il a lui-même confirmé l'histoire lorsqu'il a repris connaissance.

– Et… il ne m'en veut pas trop ?

– Je ne suis pas restée assez longtemps pour le savoir. On est partis tout de suite, avec Jules.

– J'en déduis que Jules possède un certain talent pour pister les gens, je dis.

– Un talent certain, intervient le garçon avec un grand sourire.

J'hésite à l'apprécier ou à le haïr.

D'un côté, il est venu à mon secours.

De l'autre, il fait des jeux de mots foireux, et, à la façon dont il regarde Nina, je comprends qu'un rival autant qu'un collègue se tient devant moi.

– Les garous ? je continue, ne pouvant refréner ma curiosité. Par quel miracle…

– En fait, explique Jules, quand on t'a trouvé, tu étais dans cette ruelle avec un sale type habillé en noir, un vampire et un garou, en fâcheuse (pour ne pas dire faucheuse !) posture. On a vite compris, Nina et moi, qu'on ne pourrait rien faire seuls.

– Alors on est allés chercher du secours, poursuit Nina. On sait que les loups-garous n'aiment pas les vampires. On a repéré un lycan et on a joué les idiots ! On lui a dit qu'un type avec des dents bizarres se battait avec un autre qui grognait comme un loup, dans une ruelle, et qu'il fallait appeler la police.

– Vous n'avez pas utilisé votre carte d'Agent ? je m'étonne.

– Ben, la carte, c'est un peu la roulette russe, se justifie Jules. On a autant de chances d'obtenir une aide que de s'attirer des problèmes.

– Je suis bien d'accord avec toi, je soupire. Comment le lycan a réagi ?

– Au poil et au quart de tour ! répond Jules. Je ne sais pas comment ils communiquent entre eux, mais quelques minutes plus tard, ils étaient quatre. Il y en a un qui a dit qu'il était policier – il a sorti sa plaque – et il nous a demandé de le conduire à la ruelle.

– Le type en noir n'était plus là. Mais il restait le vampire et le lycan. Qui, visiblement, ne se battaient pas l'un contre l'autre ! termine Nina.

– Le garou qui veut me trucider, je dis à mon tour, sur le ton de la confidence, est un renégat recherché par ses frères de clan.

– Ah ! Ça va barder, alors, comprend Jules.

– Et toi, me demande Nina, comment tu as fait pour t'en sortir ? On a vu de la fumée au-dessus de ta tête, et puis le vampire et le garou ont détalé comme des lapins.

De la fumée ? Zut, Nina et Jules ont assisté à une partie de la scène…

– J'ai déclenché un sortilège d'apparence, j'élude en jetant un regard en coin à Jules. Ils se sont brusquement retrouvés face à un troll monstrueux !

– Ne t'inquiète pas, me rassure le garçon. Je suis au courant, pour tes talents magiques.

Je crois que si l'Association survit aux folles journées qu'on est en train de traverser, il faudra sérieusement réviser l'article 6…

Des grognements.

Le ton monte dans l'impasse. Les Anormaux ont décidé de régler leur différend.

Et je crains que, à l'encontre de toutes les directives, les trois représentants de l'Association présents sur les lieux ne s'en mêlent pas…

– Enfin ! gronde celui qu'Ombe m'a montré comme étant Nacelnik (l'amour de sa vie, ouais ; une chance pour elle que je ne sois pas son grand frère, parce que j'aurais mis bon ordre à cette relation, moi !). On se retrouve, lâche !

– Lâche ? rétorque Trulez en se transformant à moitié, imité par les autres lycans. Tu viens à quatre contre un !

– Les autres ne sont là que pour t'empêcher de fuir à nouveau. Tu me dois un combat loyal, fils de coyote !

– À ton service, ersatz d'Alpha ! Mais au fait, tu n'as pas amené avec toi la dinde de l'Association ?

Nacelnik se raidit imperceptiblement. Sa réaction n'échappe pas à Trulez qui se fend d'un rictus mauvais.

– Tu avais sur toi l'odeur de cette chienne quand tu t'es pointé pour me défier, continue-t-il. Elle t'a plaqué ? Pauvre Alpha, pauvre chef de meute jeté comme un os rongé par une pute humaine !

– Ferme-la ! hurle Nacelnik fou de rage. Maudit bâtard !

« Le salaud...

– Laisse tomber, Ombe. Il essaye d'énerver Nacelnik. De l'aveugler en le rendant furieux. Et ça marche ! Ce qui veut dire...

– Qu'il éprouve toujours des sentiments pour moi. Tu crois qu'il sait que je suis... que je suis... enfin, tu vois bien !

– Aucune idée, Ombe. De toute façon, les sentiments, ça traverse tout.

– J'espère qu'il va le massacrer.

– Ne t'inquiète pas. Il a trois potes avec lui.

– Tu ne comprends pas, Jasper. C'est un combat rituel. Le vainqueur empoche la mise. Il devient chef de clan.

– Aïe.

– Si ça tourne mal, il ne faudra pas s'éterniser dans le coin.

– Message reçu… »

Nacelnik a bondi. Il s'est jeté toutes griffes dehors sur Trulez qui se défend avec vigueur. L'ancien amant d'Ombe frappe son adversaire comme un sourd, ajustant mal ses coups. Trulez, maître de lui, répond sobrement mais fait mouche à chaque fois.

Si le duel dure trop longtemps, je ne donne pas cher de la peau de Nacelnik.

– Le vampire, dit Jules à voix basse. Il est parti.

Je cherche des yeux Séverin, mais celui-ci, utilisant la célérité propre à son espèce, a profité de la confusion pour prendre la poudre d'escampette.

– L'enfoiré ! je réponds laconiquement.

Avec Siyah, ça fait deux types dans la nature pour qui ma mort serait une bonne occasion de sabrer le champagne.

Il faut à tout prix éviter qu'il y en ait un troisième (et beaucoup plus, si j'en crois Ombe). Mais comment aider Nacelnik sans qu'il perde la face ?

J'observe plus attentivement le mouvement des duellistes au milieu du cercle de garous.

Je remarque vite que Trulez parvient habilement à garder le soleil dans le dos, obligeant Nacelnik à cligner les yeux pour ne pas être aveuglé.

Pas mal pensé ! Mais tu vas voir ce que tu vas voir (ou plutôt ne pas voir...).

Je sors la gourmette de ma poche et... je n'invoque pas Fafnir.

Parce que je n'ai pas besoin de lui ; juste d'un objet en argent.

Et puis Fafnir, depuis qu'il se trouve à l'intérieur du bijou d'Ombe, est étonnamment silencieux. À croire qu'il s'est mis en sommeil - en hibernation ?

Je lui ai pourtant appris à communiquer avec moi. Le moins qu'on puisse dire, c'est qu'il n'en abuse pas !

Franchement, je le préférais sous sa forme de scarabée.

Je ne manquerai pas d'y remédier, sitôt de retour dans mon laboratoire...

En attendant, je frotte la petite plaque sur laquelle est inscrit le nom d'Ombe, pour la rendre plus brillante. Puis je m'en sers (en toute discrétion, Walter, je vous assure) comme d'un miroir pour renvoyer l'éclat du soleil dans les yeux du gars roux.

« Art ose heurt ? Art osé ! » comme dirait le philosophe troll Hiéronymus. Trulez rate une esquive et se prend un coup de griffe qui lui arrache un morceau d'épaule.

Hurlement.

Ça t'apprendra à insulter Ombe! Je lui balance un nouveau morceau de soleil argenté dans la figure.

Il ne voit pas venir un coup de pied de Nacelnik qui le soulève de terre.

Grognement.

Sérieusement touché à deux reprises, Trulez ne fait plus le poids face à un adversaire déchaîné. Il tombe bientôt à genoux, essayant tant bien que mal de parer les coups qui pleuvent sur lui.

Puis, dans un rugissement de Ragnarök, Nacelnik plante ses crocs dans la gorge de l'ancien Alpha.

Gémissement.

Trulez est mort, la trachée arrachée.

Gargouillement…

Je range la gourmette à sa place.

« *Ça y est, Ombe, c'est fini, tu peux ouvrir les yeux.*

– Qui te dit que je ne regardais pas ?

– Si tu avais assisté au combat, tu n'aurais pas pu t'empêcher de crier des encouragements et des invectives dans ma tête !

– Tu te trompes, Jasper. J'ai regardé… en partie. Et si je n'ai rien dit, c'est parce que je pleurais en silence. Je pleurais en comprenant que je ne pourrais plus jamais tenir Nacelnik dans mes bras…

– Ben, techniquement, ça reste possible, mais je ne me vois vraiment pas…

– Ne gâche pas tout, Jasper ! Je suis en train de mettre mon cœur à nu, là.

– Je sais, ma belle. Désolé. Je n'aime pas ça, ça me met mal à l'aise. Avec toi, la seule façon que j'ai de fuir, c'est de plaisanter sur des choses graves.

– Tu vas fuir longtemps ?

– Jusqu'à ce que je découvre de quoi j'ai peur. Mais continue, Ombe, et pardonne-moi : ta tristesse me fait mal et ton désespoir me bouleverse.

– Je ne sais plus ce que je voulais dire. Et je ne suis pas sûre de vouloir te le dire. Tant pis. En tout cas, merci.

– C'est ironique ?

– Non. Je t'ai vu faire joujou avec la gourmette !

– Ah… Tu crois que c'était de la triche ? Que Nacelnik n'a pas vraiment mérité sa victoire ?

– On s'en balance, Jasp. Il est vivant, c'est ce qui compte.

– Je ne sais pas si tu as remarqué… Depuis quelque temps, on discute de manière presque normale. Comme avant…

– Comme avant ?

– Non. Mieux qu'avant.

– Tu es en train de me dire que je deviens bavarde ? Comme une vraie fille ?

– Tu es bête ! Tu sais quoi, Ombe ?

– Non.

– Je t'aime.

– …

– *Et je me demande ce que je ferais si ma grande sœur n'était pas là avec moi.*

– …

– *Tu ne dis rien ?*

– *Je t'aime aussi, Jasper. Mon horripilant, impertinent et génial petit frère !* »

Des larmes me brouillent la vue.

– Les garous, ils approchent, me prévient Nina en attrapant mon bras.

Pendant toute la confrontation, elle est restée avec Jules, blottie contre lui.

J'essuie subrepticement mes yeux d'un revers de manche.

– On ne risque rien, t'es sûr ? me demande le blondinet piqueur de copine.

– J'en suis sûr, je mens en soupirant et en me disant qu'il serait bon de revoir mes techniques d'approche avec les filles.

Nacelnik a retrouvé une apparence plus humaine, comme ses acolytes qui lui manifestent un respect accru. Ses vête-ments sont tachés de sang, mais la capacité de régénération des lycans est à l'œuvre et ses blessures commencent déjà à se refermer.

Avant qu'il ait le temps de nous signifier notre arrêt de mort (parce que ce détail a échappé à la jolie Nina et à Jules le blaireau : les Normaux ne sont pas censés assister à des scènes impliquant des Anormaux !), je sors ma carte d'Agent (stagiaire) avec un A, comme Association.

– Ça baigne, les gars, je les rassure. L'Association n'interfère jamais dans la vie privée des Anormaux.

Les lycans marquent un temps d'arrêt, interloqués.

– Vous êtes tous les trois des Agents ? demande Nacelnik d'un ton suspicieux qui incite Jules et Nina à exhiber leur carte sans attendre.

L'Alpha grogne de satisfaction.

– Le clan des entrepôts est en bons termes avec l'Association, déclare-t-il avec une certaine solennité. J'en suis le chef.

– Tu es Nacelnik, je dis en le regardant dans les yeux.

Des yeux bleus magnifiques (tu as bon goût, Ombe, il faut le reconnaître), qui s'arrondissent de surprise.

– On s'est déjà vus ?

– Non. Mais…

– Tu es le frère d'Ombe ! s'exclame-t-il.

Alors là, c'est moi qui reste sans voix.

– Vous avez la même odeur, m'explique-t-il en inter-prétant correctement mon étonnement. Exactement la même. Nous autres, lycans, sommes capables de déceler beaucoup de subtilités parmi les effluves.

– Son frère ? je balbutie. Oui, euh, c'est pas faux, je continue, pitoyable. Je m'appelle… Jasper.

« Ombe, tu es toujours là ? Tu ne dis rien ? »

Pas de réponse. Lâcheuse !

Nacelnik pose sa main sur mon épaule, dans un geste protecteur.

– J'ai appris ce qui lui est arrivé. Tout se sait très vite, en ville. Je suis désolé, Jasper. Ta sœur et moi, on était… C'est délicat à expliquer. Mais je ne cesse de penser à elle. Si un jour tu as besoin d'aide, tu peux compter sur moi. J'ai contracté une dette auprès d'Ombe. Alors n'hésite pas : tu me libéreras un peu.

Il s'apprête à partir.

– Attends ! je crie. Nacelnik, tu disais… tu disais qu'on avait la même odeur ! L'odeur de quoi ?

– Une odeur de soufre, Jasper. Légère mais prégnante. Profonde. Pas une simple fragrance : une véritable odeur, attachée à vos personnes.

Il me tapote gentiment le bras et s'éloigne à grandes enjambées, me laissant seul avec des pensées qui me dévorent et un couple d'Agents stagiaires qui a suivi notre échange sans vraiment le comprendre.

– Jasper ? Ça va ?

Je souris faiblement à Nina qui a pris ma main dans la sienne et la serre très fort. Je me laisse aller contre elle, pose la tête sur son épaule.

Elle me caresse doucement la joue.

– Le lycan a parlé d'Ombe. Il la connaissait, n'est-ce pas ? C'est ça qui te bouleverse ?

J'acquiesce, une grosse boule dans la gorge, incapable de prononcer un mot.

Je ne sais pas ce qui me secoue le plus: les révélations de Nacelnik, la gentillesse de Nina ou les sanglots d'Ombe qui résonnent dans ma tête…

Un ciel sans bougie

J'avais promis à ma mère de ne pas quitter l'appartement pour le Jour de l'an.

Je n'ai pas obéi.

Ombe ne me parlait plus. Elle avait disparu pour de bon. J'avais envie de hurler.

Et puis le ciel était trop bas; la pluie coulait comme des larmes le long des nuages gris.

J'ai mis ma cornemuse dans un sac en plastique et, perdu dans mes pensées, j'ai marché un long moment dans la ville morte.

Je me suis arrêté sur les quais, avec comme seule compagnie celle des arbres trempés.

J'ai accordé l'instrument en ajustant les bourdons, je l'ai calé sous mon bras, j'ai soufflé pour remplir la poche. Et puis debout, face au fleuve, j'ai joué ce qui me passait par la tête, sur des paroles silencieuses: «Ne fait-il pas plus froid? La nuit n'est-elle pas plus noire? Pourquoi faut-il allumer les lanternes dès le lever du jour?»

Le son, si puissant d'habitude, parvenait tout juste à percer la brume. Peut-être que c'était moi qui jouais moins fort, à cause du poids sur la poitrine.

Le poids des heures grises qui ressemblent à des deuils, sans bougie et sans joie.

Où s'en allaient mes notes et mes pensées? Qu'importe.

Cette pâle musique que je tirais de ma cornemuse, j'en suis sûr, dérangeait les ténèbres et c'est tout ce qui comptait...

À quoi servent les notes d'une musique, à quoi servent les mots d'une chanson, sinon à remplir la mer que d'autres ont vidée? À repeindre des horizons qui ont été effacés? À forger les maillons de la chaîne qui nous rattache au soleil?

À ériger un lieu habitable sur les territoires du néant...

11

Porte de Vouivre – Quelque part dans les sous-sols de l'hôtel Héliott

– Doucement, Rose. Je viens d'être l'objet d'une possession et d'un exorcisme. C'est une expérience doublement traumatisante.

– Allons, Walter, ne faites pas le douillet. Appuyez-vous sur moi.

– Je n'ai plus l'âge de ces bêtises...

– Arrêtez de bougonner, vieil ours ! Il n'y a pas d'âge pour se battre et survivre. Vous croyez que la cotte de mailles ne pèse pas plus lourd qu'autrefois sur mes épaules ? Que je brandis le sabre avec la même habileté, que mes balles d'argent touchent toutes leur cible, que les énergies viennent facilement jusqu'à mon bâton de pouvoir ? Bien sûr que non ! Ça ne m'empêche pas d'être là et de faire mon devoir.

– Vous êtes toujours aussi belle quand vous vous énervez, Rose. Et j'adore votre tenue de Walkyrie.

– La fatigue vous fait délirer, Walter.

– De vous voir ainsi équipée me ramène quelques années en arrière. Bon sang, Rose, vous vous rappelez ? Toutes ces missions pour ramener l'ordre dans la communauté des Anormaux ? Vous alliez au feu avec le Sphinx et moi je couvrais vos arrières… Et les bouteilles qu'on vidait au retour pour fêter nos succès ? Nos rires et discussions jusqu'au petit matin ?

– C'était il y a longtemps.

– Que sommes-nous devenus, Rose ? Des bureaucrates tristes. Nous avons vieilli. Nous nous sommes racornis, moi au milieu de mes papiers, le Sphinx dans sa cave et vous… Vous êtes celle qui a le moins changé, Rose.

– C'est gentil, Walter. Mais assez bavardé, il faut sortir d'ici. L'Agent auxiliaire Bêta ouvre la marche et Gamma nous couvre. On ne risque rien.

– Rose, je voulais vous dire… merci d'être venue.

– Il le fallait bien ! Il ne restait plus que moi.

– J'espérais voir le Sphinx avec vous. Toujours aucune nouvelle ?

– Avant de parler du Sphinx, Walter… j'aimerais que vous me racontiez ce qui s'est passé. Où aviez-vous disparu ? Que vous est-il arrivé ?

– C'est une longue histoire, Rose. Longue et courte à la fois.

– Alors, arrêtez de soupirer et lancez-vous, je vous écoute. À la vitesse à laquelle vous marchez, on ne sera pas sortis de cet endroit avant une heure ! Ça nous laisse du temps.

– D'accord, d'accord. Vous vous souvenez que je me suis absenté toute la journée du premier de l'an, pour enquêter sur la disparition du Sphinx? Bien. Je suis arrivé, après la tombée de la nuit, sur un quai désert de la gare où je devais retrouver un informateur. Je ne me suis pas méfié et je me suis retrouvé prisonnier d'un vaste pentacle tracé sur le goudron. Un magicien entièrement vêtu de noir – le fameux Siyah, j'imagine – a pratiqué une invocation. Un démon est apparu dans le pentacle.

– Walter !... Vous n'aviez rien pour vous défendre ?

– Le démon était puissant, Rose, et le sortilège pentaclite du magicien m'avait affaibli. Je n'ai pas pu l'empêcher de prendre possession de mon corps. Mais j'ai préservé mes ultimes forces et c'est ce qui m'a sauvé.

– Comment ça ?

– Après s'être assuré que j'avais été transformé en *gebbet*, en possédé, le magicien m'a libéré. Revenu rue du Horla, j'ai, pendant quelques minutes, réussi à reprendre le contrôle de mon esprit.

– Par quel miracle, Walter ?

– Le démon était perturbé. Il devait s'accoutumer à

mon corps, faire siens mes pensées et mes souvenirs, afin que personne ne se doute de rien. Je l'ai eu par surprise. Il ne s'attendait pas à être bousculé par ma volonté.

– Vous étiez enfermé en vous-même... Vous avez assisté, impuissant, aux actes que le démon commettait à votre place ! Quelle horreur !

– Oui et non. La plupart du temps, j'étais plongé dans un sommeil épais, duquel j'émergeais pour voir une réalité incertaine et déformée. En fait, je pense que j'aurais disparu complètement, dans le tréfonds de ma propre inconscience, si ce cauchemar avait duré.

– N'y pensez pas, Walter. L'essentiel, c'est que vous soyez redevenu vous-même durant de précieuses minutes. Qu'est-il arrivé ensuite ?

– J'ai réussi à passer un coup de téléphone. Un seul. À un contact en Sibérie. Pour lui transmettre un message codé. Ce message laissait clairement entendre à un ami chamane, Otchi, que j'étais sous l'emprise d'un démon.

– Vous ne m'avez jamais parlé de ce chamane, Walter.

– J'entends un reproche dans votre voix. Je suis désolé, Rose.

– Ce n'est pas grave, Walter. On a tous nos petits secrets... Ensuite ?

– Ensuite, le démon a pris posession de moi de façon définitive. Il était fou de rage. De peur aussi. Il vous a convaincue de traquer Otchi. Après, mes souvenirs sont flous.

– Heureusement pour vous, votre ami sibérien s'est révélé coriace.

– Pauvre Otchi. Il s'est perdu en me sauvant.

– Il est… mort ?

– Non, Rose, je ne crois pas. Mais là où il se trouve, il aurait mieux valu.

– C'était un oyun, un maître chamane. Les démons semblaient le craindre.

– Il les plongeait dans l'affolement ! Otchi s'était fait une spécialité de combattre les manifestations démoniaques partout où elles se déclaraient. On raconte qu'il s'est rendu une fois dans le royaume de Khalk'ru pour le narguer, avant de lui échapper. Le roi-démon lui-même le considérait comme son ennemi principal.

– Comment l'avez-vous rencontré ? Même après des années, Walter, vous arrivez encore à me surprendre !

– J'ai fait la connaissance d'Otchi il y a longtemps. J'étais Agent stagiaire, à l'époque ! On m'avait envoyé en séminaire dans un lieu secret d'Asie centrale, consacré aux pratiques chamaniques. Otchi était l'assistant d'un sorcier puissant. Il n'avait pas encore été initié. On a immédiatement sympathisé. Un soir, il a eu maille à partir avec une poignée de futurs chamanes, pour d'obscures raisons. Je suis venu à son aide. Depuis ce temps, il considère qu'il a une dette envers moi. Une dette qu'il a largement remboursée aujourd'hui. Même en comptant quarante années d'intérêts…

– Vous êtes donc restés en contact ?

– Oui.

– Communication astrale ?

– Internet !

– Quand je pense qu'on a gaspillé notre énergie pour arrêter le seul homme qui pouvait vous sauver ! J'en suis malade.

– Vous ne pouviez pas savoir, Rose. Et puis Otchi était… Otchi est puissant. Rusé comme un singe et fort comme un tigre ! Vous n'auriez pas pu l'arrêter…

– Lui non, mais vous, ça ne va pas tarder. Vous soufflez comme un bœuf et votre visage est tout blanc ! On va faire une halte, Walter.

– Quelques minutes suffiront. Bon sang, je me sens complètement vidé !

– C'est normal, le démon a puisé dans vos forces pour lutter contre le chamane. Il suffira d'un peu de repos pour que vous redeveniez vous-même.

– Et beaucoup de temps, Rose. C'était horrible de ne plus être soi-même, de se sentir dévoré de l'intérieur.

– Je sais que c'est difficile mais essayez de ne plus y penser. Concentrez-vous sur les heures à venir et pas sur celles qui sont passées.

– Rose, la voix de la raison !

– Parfaitement. Mes conseils sont toujours judicieux, n'est-ce pas ?

– Je vous l'accorde volontiers.

– Hum… Bref ! Ce qui vous est arrivé, Walter, est très inhabituel. Et particulièrement audacieux de la part des démons. Leur action révèle clairement un objectif : affaiblir la Barrière. Vous m'avez… enfin, le démon qui était vous, m'avait soumis de nouvelles directives concernant les Anormaux. Des directives qui auraient immanquablement conduit au chaos, et donc à la mort de nombre d'entre eux.

– Bien vu, Rose. On peut effectivement penser que cet épisode est la continuité – et la montée en puissance – d'un plan mis en place il y a des mois. Plan que nous avons déjoué en partie en neutralisant le trafic de métadrogue, en calmant les gobelins et en protégeant la Créature du lac…

– Les démons veulent entrer pour de bon.

– Oui, Rose. Cette fois, aucun doute. Et ils semblent pressés ! Il faut absolument contacter Fulgence et le Bureau international.

– Du calme, Walter. N'essayez pas de me faire un infarctus ! J'ai déjà contacté Londres, figurez-vous.

– Et alors ?

– Rien. Fulgence restait injoignable. Disparu. La MAD était dans tous ses états.

– Étrange. À moins que… Il a peut-être été piégé par un démon, lui aussi !

– C'est peu vraisemblable. C'était déjà assez risqué de s'en prendre à vous ! S'attaquer au chef de l'Association, qui vit sous protection permanente de la MAD, relèverait du suicide. Mais nous vérifierons malgré tout cette hypothèse une fois rentrés. Devant une bonne tasse de thé.

– Si le Sphinx ne jouait pas à cache-cache, nous aurions pu le charger de cette mission !

– Walter, je… je ne sais pas comment vous l'annoncer. Le Sphinx… Le Sphinx…

– Rose ? Mais… mais… ce sont des larmes ?

– Le Sphinx est mort, Walter. Tué par un sortilège. On a retrouvé son corps dans une ruelle.

– Hein ? Quoi, mais que… ? Mort ? Le Sphinx ?

– …

– Impossible ! Par tous les dieux, qui aurait osé s'en prendre à lui ? Je ne vous crois pas.

– Je n'y ai pas cru, moi non plus, jusqu'à ce que je voie son corps.

– Je… Bon. Et… Bon sang !

– Mais son agresseur a commis une erreur ! On l'aperçoit, furtivement, sur la bande-vidéo d'une caméra de surveillance.

– Vous l'avez identifié ?

– Oui.

– Eh bien, Rose, qui est-ce ? On le connaît ?

– Il s'agit de Jasper.

– …

– Walter ? Vous vous sentez bien ? Walter ? Tenez, buvez

un peu d'eau. Voilà ! Vous retrouvez des couleurs. Vous m'avez fait peur, j'ai cru que vous tourniez de l'œil !

– Ja… Jasper ?

– J'ai immédiatement envoyé un commando chez lui mais il s'est échappé. L'Agent stagiaire Jules l'a pris en filature.

– Jasper… Non, c'est impossible.

– Tout est possible, Walter. La preuve : le Sphinx est mort.

– Où est Jasper, à présent ?

– La dernière fois qu'on a eu de ses nouvelles, il pénétrait dans l'hôtel Héliott avec l'Agent stagiaire Nina et un garçon que j'ai identifié comme un camarade de lycée.

– L'hôtel quoi ? Qu'est-ce que Jasper fabriquait dans un hôtel ?

– L'hôtel Héliott. Il est juste au-dessus de nos têtes, Walter. Visiblement, Jasper en avait après vous…

Les sortilèges de mademoiselle Rose

L'attaque la plus terrible que l'Association a subie s'est déroulée il y a neuf ans.

Une conjugaison de magies ténébreuses, contre notre sanctuaire de la rue du Horla.

Pas de hordes, cette fois, pas de gros bras ni de front bas. Des énergies monstrueuses, un maelström puissant et maléfique qui s'est acharné pendant des heures.

Walter et moi avons lutté de toutes nos forces pour contenir cet assaut. Le Sphinx, quant à lui, praticien médiocre, nous a grandement aidés en dénichant dans l'armurerie quelques artefacts sur lesquels appuyer notre magie défensive.

Nous n'avons jamais su d'où provenait cette attaque. Mais la façon dont elle s'est arrêtée, comme une source brusquement tarie, et la noirceur qui s'en dégageait, tout cela portait la marque d'une action démoniaque.

À la suite de cet épisode douloureux, qui aurait pu signer la fin de l'antenne parisienne de l'Association, nous avons fait ce que nous aurions dû faire depuis longtemps : placer nos bureaux sous la protection d'un sort permanent, suffisamment puissant pour décourager toute nouvelle intrusion. Trente-sept mages venus des différentes sections de l'Association se sont réunis chez nous, le temps de tisser un enchantement dont bénéficient l'immeuble tout entier et nos étages en particulier, la clé de voûte du sort étant la porte d'entrée du bureau…

Comment Walter, envoûté, possédé, transformé en gebbet, a-t-il pu tromper la vigilance du sortilège et franchir le seuil de notre sanctuaire ?

Je ne vois pour l'instant qu'une explication et elle est terrifiante : un démon dissimulé à l'intérieur d'un humain est capable de court-circuiter un enchantement…

12

La nuit est tombée.

Je ne sais pas depuis combien de temps je marche.

Les rues défilent, anonymes. Elles se ressemblent toutes. Les trottoirs ont la même couleur sous ma semelle.

Je marche tête baissée, le regard flou, abîmé dans mes pensées.

Je marche pour ne pas tomber.

Les paroles de Nacelnik rebondissent à l'intérieur de mon crâne. Je me les répète, inlassablement : « Tu es le frère d'Ombe… Vous avez la même odeur… une odeur de soufre… »

Quand j'ai dit à Ombe, le soir de Noël, quelques heures avant l'agression qui lui a coûté la vie, qu'elle était cette sœur que je n'ai jamais eue, j'étais sincère.

Mais ça restait une formule, une échappatoire (une de plus !) et le moyen de devenir plus proche d'elle encore qu'un bête petit copain.

Les mots du lycan, tout à l'heure, de ce lycan qui a eu la chance, le bonheur, le privilège de serrer Ombe dans ses bras, ont bouleversé la donne.

Ombe serait ma sœur. Pour de vrai ! *Dixit* l'odorat d'un garou…

Par quel miracle ? Par quelle pirouette tragique ?

Je n'imagine pas un seul instant ma mère me cacher l'existence d'une sœur. Encore moins laisser sa fille à la rue ! Non, Ombe ne peut pas avoir la même mère que moi. C'est impossible !

Mais après tout, que sais-je de l'existence de cette femme qui est ma mère et qui n'a pas attendu que je naisse pour vivre ?

N'est-elle pas, d'ailleurs, une sorcière fréquentant des assemblées étranges où s'accomplissent de louches rituels, toujours à droite et à gauche pour participer à de pseudo-stages improbables ?

Je sens le monde – mon monde – trembler sous mes pas. Non, pas ma mère. Je refuse de le croire, de l'envisager une seconde !

Mon père alors ? Ombe serait sa fille ? Possible. Probable, quand on y réfléchit. C'est un homme riche, puissant, qui voyage sans arrêt. Un dérapage, une grossesse, à son insu – ou son indifférence…

Mouais, beaucoup plus plausible.

Soudain je m'arrête, le souffle court, les poumons compressés dans un étau.

Une troisième option (il y en a toujours une...) vient de m'apparaître: et si j'avais été adopté? Et si mes parents n'étaient pas mes parents? Ombe est une enfant abandonnée, qui n'a jamais eu la chance d'être accueillie par une famille aimante.

Je l'ai peut-être eue, moi, cette chance! On m'a peut-être trouvé au bord d'un chemin! Jeté dans la nature par la même femme, par notre vraie mère! Confié à de riches parents en mal d'enfant, tandis qu'Ombe, par un caprice de la destinée, passait de familles d'accueil en familles d'accueil!

L'hypothèse est vraisemblable. Mais pas plus que celle du père volage.

Je me calme et reprends ma route.

Au lieu de me focaliser sur notre filiation, je devrais plutôt m'interroger – m'inquiéter? – sur cette histoire de soufre.

Où trouve-t-on du soufre (ailleurs que sur les allumettes et dans le vin)? Réponse: chez les démons.

Est-ce que ça signifie qu'Ombe et moi avons un rapport avec le monde démoniaque?

Je ne vois pas comment.

L'Association (mademoiselle Rose me l'a expliqué) procède à une batterie de tests sophistiqués pour détecter les anomalies de toute nature chez les stagiaires. Le fait qu'Ombe et moi ayons été retenus écarte donc cette hypothèse.

Peut-être avons-nous été marqués, elle et moi, avec du soufre, sans qu'on le remarque. Au cours d'une bagarre impliquant un magicien, par exemple. Les mages noirs utilisent parfois du soufre pour leurs sorts…

Siyah ! Ombe et moi l'avons affronté à tour de rôle !

Mais cela signifierait qu'Ombe n'est pas plus ma sœur qu'Erglug est mon frère… Non, trop alambiqué comme explication.

D'autant que Nacelnik a bien précisé que cette odeur de soufre était profonde, attachée à nos natures !

Il faut chercher ailleurs.

Du côté des maniaques du Taser, peut-être, d'Ernest Dryden et de l'Organisation, qui l'employait.

Qu'a dit Dryden ?

Que j'étais un monstre, un mensonge.

Qu'il travaillait pour l'Association et, à ce titre, faisait son devoir en m'éliminant.

Cela a-t-il un rapport avec l'odeur de soufre dont nous sommes imprégnés ? Est-ce pour cette raison que Dryden et son collègue se sont acharnés sur Ombe et sur moi, et sur personne d'autre ?

Comble de malchance, le seul homme qui semblait en savoir plus que les autres a été emporté par les racines ténébreuses.

Otchi, j'en suis sûr, possédait des réponses, et j'aurais trouvé le courage d'aller vers lui pour les chercher, au-delà de la terreur qu'il m'inspirait.

Il aurait pu expliquer l'étrange phénomène de mon embrasement, tout à l'heure, au moment où j'allais passer un sale moment entre les griffes de Trulez et de Séverin. Ainsi que le pourquoi de mes rêves rouges.

Il aurait dénoué le mystère de cette subtile odeur de soufre.

Tu en penses quoi, Ombe?

Pas de réponse, évidemment. Ombe n'a pas accès à mes pensées quand je ne m'adresse pas directement à elle ou que je ne parle pas à voix haute.

« *Tu en penses quoi, Ombe?*

– *Penser quoi de quoi, Jasper?*

– *De ce qu'a dit Nacelnik.*

– *Il a dit qu'il ne parvenait pas à m'oublier. Qu'il m'aimait...*

– *Oui, euh, c'est vrai, il l'a dit. Mais, euh, je pensais plutôt à cette histoire de soufre, et du fait que toi et moi serions frère et sœur...*

– *Tu te rends compte, Jasper? Il sait. Il sait que je ne suis plus là pour lui et, pourtant il continue à m'aimer!*

– *Oui, Ombe. C'est... chouette. Vraiment.* »

Ombe est toujours sonnée. Incapable de raisonner. Sous le choc de ses... retrouvailles (je ne trouve pas de mot plus approprié) avec son garou coulant.

J'ai entendu ses sanglots, dans ma tête, longtemps, interminablement.

Ça ne lui ressemble pas.

Je ne veux pas dire que je crois Ombe incapable d'être émue, ou passionnément amoureuse, non ! Mais elle a toujours eu tendance à exprimer sa douleur de manière plus… énergique.

Je m'en veux de penser ça.

Que sais-je d'Ombe qui se niche à présent en moi ?

Une chose est sûre, c'est que si je l'avais eue pour sœur quand elle était encore vivante - enfin, en chair et en os –, elle m'aurait aidé à comprendre les autres filles.

On partage ça entre frère et sœur, non ? Que se dit-on, quelles confidences se fait-on - ou ne se fait-on pas ?

Est-ce vrai qu'on se bat, qu'on s'engueule, qu'on se maudit, qu'on se plaint aux parents de la méchanceté de l'un et de l'égoïsme de l'autre, mais aussi qu'on se console et se soutient quand sa famille se désagrège ou que le monde s'embrase ?

Je n'aurai jamais de réponse.

Je ne peux qu'imaginer Ombe en grande sœur forte et protectrice, balayant mes tourments d'un revers de manche ; en grande sœur fragile, qui n'a personne d'autre que son petit frère pour épancher son cœur…

Pourquoi est-ce que je me prends la tête comme ça ?

J'ai faim et je suis crevé.

Il est temps de rentrer à la maison. Même si personne

ne m'y attend, ni grande sœur ni mère ; ni Nina ni Jean-Lu.

Mon long manteau noir claquant dans le vent, je prends la direction de l'avenue Mauméjean.

I am a poor lonesome crow-*boy*…

Une fois de plus je me suis trompé.

Lorsque je débouche dans l'avenue, quatre personnes font le pied de grue devant le numéro 9.

Il y a Walter, dans son costume inhabituellement élégant, mademoiselle Rose en armure et les deux mercenaires casqués.

Mon premier réflexe est de me précipiter vers eux, de me jeter dans les bras de Walter, de claquer une énorme bise à mademoiselle Rose, comme si rien ne s'était passé, comme si aucun « compte en cieux » ne nous séparait, et de donner une poignée de main virile aux survivants de la bataille souterraine !

Plusieurs détails, cependant, m'incitent à davantage de retenue :

1. l'absence de joie manifeste à me revoir ;

2. les fusils pointés sur moi par les deux Robocop ;

3. le regard triste de Walter et celui accusateur de mademoiselle Rose.

Je ne sais pas ce que j'ai fait, mais je sens que ça va être ma fête.

– Salut ! je lance en arrivant à leur hauteur.

Plutôt laconique mais je ne trouve rien à dire. Je reste d'ailleurs là, les bras ballants, dans l'attente de je ne sais quoi.

– Jasper, commence Walter d'une voix fatiguée, je… tu… Ah, comment t'annoncer ça ?

– Tu es en état d'arrestation, continue à sa place mademoiselle Rose.

Un coup d'œil sur la secrétaire de l'Association me confirme qu'elle ne plaisante pas. Je réprime un frisson de mauvais augure.

– Arrestation ? je suffoque. Mais pourquoi ?

– Pour le meurtre du Sphinx, termine mademoiselle Rose d'une voix qui vibre de colère.

J'ai senti, tout à l'heure, le monde trembler sous mes pieds quand je me suis interrogé sur la probité de ma mère.

Eh bien là, maintenant, tout de suite, ce même monde est en train de s'écrouler…

Post-it

Une chose qui convainc n'est pas vraie pour autant. Elle est seulement convaincante…

13

Je plonge mon regard (un regard éperdu) dans celui de Walter, qui secoue doucement la tête.

– Le… Le Sphinx est mort ? c'est tout ce que je trouve à dire.

Visiblement, ma réaction n'est pas celle qu'attendait le chef de l'Association.

Walter semble troublé et mademoiselle Rose réprime un haussement de sourcil.

– Il est mort, me répond-elle, sur un ton légèrement adouci. Tué dans une ruelle par un jeune mage d'une grande puissance.

« Le Sphinx mort ! Jasper… Ils pensent que c'est toi qui l'as tué !

– C'est un cauchemar, Ombe. Un véritable cauchemar. »

J'essaye de ne pas me laisser submerger ni par mes émotions ni par le désarroi de l'amie qui est devenue ma sœur.

Je dois réfléchir, dominer mon chagrin, comprendre pourquoi je suis soupçonné de ce crime.

– Vous croyez que le mage qui… C'est moi ?…

– Une vidéo de surveillance te met formellement en cause, répond mademoiselle Rose en prononçant soigneusement chaque mot, comme si elle voulait me convaincre qu'il ne sert à rien de nier.

– Le… la mort du Sphinx a eu lieu quand ? je demande, cherchant désespérément à me sortir de cette situation digne d'un épisode de la quatrième dimension.

– Le 1er janvier, en début de soirée.

Je pousse un soupir de soulagement. Le premier jour de l'année, je l'ai passé dans l'appartement.

– Je ne suis pas sorti de chez moi ! Vous pouvez demander à ma mère…

– Nous l'avons fait, me répond Walter. J'ai joué pour cela le rôle du médecin inquiet, ajoute-t-il avec un sourire maladroit.

– Alors, j'explose, si vous savez que ce n'est pas moi, pourquoi est-ce que…

– Ta mère nous a dit que tu avais quitté l'appartement en fin d'après-midi et que tu étais revenu en milieu de soirée, me coupe mademoiselle Rose. Cette version a été confirmée par la caméra de surveillance d'une bijouterie de ton quartier, devant laquelle tu es passé. Tu portais un sac en plastique volumineux.

Bon sang! Cet épisode m'était complètement sorti de la tête...

« Qu'est-ce qui se passe, Jasper?

– On est mal. Même le hasard plaide contre moi... »

Je me tourne vers Walter, qui me paraît moins en colère que mademoiselle Rose; largué, même, pour dire la vérité. Rien d'étonnant, quand on songe à ce qu'il a vécu dans la caverne...

– D'accord, c'est vrai, je suis sorti ce jour-là, je dis en essayant de raffermir ma voix. Mais pas pour tuer le Sphinx! Je suis allé jouer de la cornemuse sur les bords de la Seine. J'avais protégé mon instrument avec un sac en plastique parce qu'il pleuvait. Je vous le jure, Walter, c'est la vérité!

– Je suis disposé à te croire, mon garçon, répond-il en se raclant la gorge. Cependant...

Walter fait peine à voir. Il tremble, saisi par une fatigue soudaine.

Mademoiselle Rose vient à son secours.

– Tu dois nous suivre rue du Horla, Jasper, et te prêter à un interrogatoire en règle.

Un interrogatoire en règle...

De nouveaux frissons s'emparent de moi.

« Qu'est-ce qu'ils vont faire, Jasper?

– Ils vont me soumettre à l'investigation d'un sortilège

inquisitorial. Ou bien me torturer avec des pinces chauffées au rouge ! Le résultat sera à peu près le même : je n'en ressortirai pas indemne. Blanchi, ça c'est sûr, puisque ce n'est pas moi qui ai tué le Sphinx ; mais dans un sale état.

– Tu ne peux pas essayer de t'échapper ?

– Pour aller où ? J'en ai marre de courir, de me cacher ! Et puis, comment veux-tu que je m'enfuie avec ces fusils braqués sur moi ? Sans compter Dragon Ball Rose... »

– Il y a une autre solution !

Le visage pâle et les lèvres tremblantes, Nina s'avance vers nous, surgie de nulle part.

Nina, belle et seule (sans son Jules), semblable à un ange, un miracle, un sursis de dernière minute, une panne d'électricité avant le supplice de la chaise...

– Nina ? Mais... Que fais-tu là ? s'étonne mademoiselle Rose.

– Jasper avait l'air si perdu, si triste quand on s'est quittés... lui répond-elle en me fixant. J'étais venue lui tenir compagnie. Je ne voulais pas qu'il se retrouve seul ce soir. Quand je suis arrivée, vous étiez déjà tous là. Je n'ai pas pu faire autrement qu'entendre ce que vous disiez...

Elle est venue pour moi ? Parce que j'étais malheureux ?

« Tu y comprends quelque chose, Ombe ?

– Nina a découvert un autre aspect de toi, Jasper. Elle t'a vu désemparé, triste, et surtout terriblement seul. La fragilité, ça plaît aux filles.

– Tu veux dire que…

– Elle tient à toi. Mais ce n'est pas le plus important. Elle te tend une sacrée perche, ne la laisse pas passer! »

Pas important ? Que Nina ait des sentiments pour moi ? Et c'est une fille qui joue les autistes depuis des heures sur le mode de « il m'aimeuhhh toujours, bouhhh ! » qui me fait la leçon ! Je rêve…

– Tu disais qu'il existe une autre solution, Nina ? je lance avant que mademoiselle Rose demande à un de ses sbires de me flanquer un coup de crosse sur la tempe.

– Oui. Une manière de faire la lumière sur la mort du Sphinx. Je peux vous aider…

– Bien sûr ! s'écrie Walter qui retrouve quelques couleurs. Comment ne pas y avoir pensé plus tôt ?

– Parce que nous n'avons jamais poussé Nina à utiliser ce talent-là, répond mademoiselle Rose. Investir les énergies résiduelles latentes réclame beaucoup d'énergie. Ça peut être dangereux…

– Je suis prête à tout pour prouver l'innocence de Jasper, clame Nina sur un ton de défi.

Nina possède un deuxième pouvoir ? Je n'en reviens pas.

– Et si, au contraire, tu révèles sa culpabilité ? demande mademoiselle Rose en fixant la jeune fille.

– En ce cas... les énergies réveillées n'auront qu'à me dévorer.

« Waouh ! Tu crois que tu la mérites ?

– Non, Ombe. Ça, au moins, j'en suis sûr ! »

L'ambiance semble se détendre. Cependant...

Est-ce que je suis toujours accusé ? Prisonnier ? Mort en sursis ? Aucune idée, la situation m'échappe totalement !

Du coup, je ne sais pas comment me comporter.

Dois-je rejoindre Nina, lui prendre la main, l'embrasser ? M'approcher de Walter, qui semble le mieux disposé à mon égard ?

Dans le doute, je ne fais rien, me contentant (une fois encore) de parler.

– Quelqu'un pourrait m'expliquer ce qui se passe ?

– Ce serait trop long, rétorque mademoiselle Rose. Tu comprendras sur place.

– Sur place...

– Dans la ruelle où le Sphinx a été retrouvé mort, précise Walter en choisissant ses mots.

– En route, conclut mademoiselle Rose, inutile de perdre du temps.

Le temps de dire ouf et je me retrouve sous la garde vigilante d'un des deux mercenaires, l'autre soutenant Walter qui peine à suivre la cadence imposée par la guerrière en chef marchant en tête du groupe.

Groupe qui, sans le sortilège de discrétion tissé autour

de lui par une main habile, attirerait immanquablement les regards des rares passants.

« Ombe ?

– Oui, Jasper ?

– L'aventure touche peut-être à sa fin. Est-ce que tu m'offrirais une dernière cigarette ?

– C'est quoi ce délire ?

– Les condamnés ont droit à une dernière cigarette, Ombe.

– Tu ne fumes pas !

– C'est une façon de parler ! En fait, en guise de cigarette, j'aimerais que tu m'expliques ce que tu voulais dire, l'autre jour. Quand je t'ai demandé qui tu étais. Tu m'as répondu que tu croyais que j'avais compris.

– Ah, ça…

– Oui, ça. C'est important, Ombe. Très important !

– …

– S'il te plaît.

– Quand le rayon m'a frappée sur la moto, avant de te toucher…

– Oui ?

– Je me suis… Comment dire ? Une partie de moi s'est… réfugiée en toi.

– Une partie de toi ?

– Mon esprit, mon âme, enfin, tu vois ! Je ne sais même pas s'il y a un mot pour la définir…

– Ton essence ?

– Si tu préfères.

– Et tu as fait… comment ?

– Je n'ai rien fait. Pour la première fois de ma vie, je n'ai pas… lutté. Je me suis laissé emporter par le flux mystique. Et toi, tu… tu m'as acceptée tout de suite. Je ne t'ai pas forcé la main, je te jure ! Ne me regarde pas comme un monstre, Jasper… Comme un hôte indésirable du genre Alien ou Goa'uld.

– C'est pour ça que tu ne voulais pas en parler ?

– Oui…

– Ombe, Ombe… J'aurais ouvert ma poitrine de mes propres mains pour que tu y entres ! Je suis ton frère, ne l'oublie pas !

– Et moi, je suis ta grande sœur. Une grande sœur protège son petit frère, elle ne lui fait pas de mal, elle…. Oh, Jasper ! J'avais tellement peur que tu…

– Tais-toi, tu es trop bête. À la vie, à la mort, tu le sais bien… »

Alors c'était ça, seulement ça ?

Simple et magnifique à la fois.

Ombe est toujours vivante, en moi.

Elle me donne sa chaleur et sa force, elle me souffle les paroles de chansons que je ne connais pas.

Elle n'est ni un souvenir, ni un délire, ni un esprit farceur ou un fantôme éphémère.

Elle est moi et je suis elle.

Même si je suis toujours moi et elle surtout moi. Enfin, je me comprends !

Minute…

Si Ombe est bien plus qu'une illusion ou une présence ectoplasmique, ça veut dire que si je meurs, Ombe mourra une seconde fois ?

Je sursaute.

– Jasper ?

Une main vient de se glisser dans la mienne.

– Je suis là, Jasper.

Nina marche à mes côtés.

– Je ne sais pas où tu étais encore parti, mais tu ne dois pas avoir peur.

Je ne dis pas un mot, je la regarde, le souffle court.

– Je te sortirai de là, Jasper, je te le jure.

Ses grands yeux, dans lesquels je me jette tout entier, oubliant le sort qui m'est réservé, disent mieux que des phrases la valeur de sa promesse.

Nina, si différente d'Ombe. Nina, que je peux aimer autrement. À qui je peux prendre la main. Nina, qui m'oblige à sortir de moi-même, à quitter mes univers brumeux pour me confronter au monde…

La ruelle est une impasse, encombrée de sacs-poubelle.

L'émotion de mademoiselle Rose est tangible. C'est là qu'on a retrouvé le corps de son ami. Je songe aux rares fois où j'ai approché le Sphinx et je ressens une grande peine. Est-ce qu'on aurait pu devenir proches, lui et moi ? L'avenir réserve toujours des surprises. Quand on lui laisse une chance d'exister...

Je confirme en tout cas - en ce qui me concerne - que je n'ai jamais vu cet endroit de ma vie.

– Il a été attiré ici par une femme en détresse, résume mademoiselle Rose à l'attention de Nina, qui relâche ma main. La vidéo montre clairement une ombre contre ce mur-là. Ensuite, l'assassin s'est glissé derrière le Sphinx et l'a foudroyé avec un sort puissant. La caméra en est restée aveugle plusieurs minutes. Quand les images reviennent, on peut voir que le Sphinx a été traîné derrière les poubelles et que l'assassin et sa complice ont disparu.

Nina hoche la tête, enregistrant toutes ces informations.

– La vidéo dévoile un jeune homme de dos, continue mademoiselle Rose, la voix altérée. Un jeune homme longiligne, vêtu d'un manteau noir, portant une sacoche noire. Ses cheveux sont mal coiffés et noirs eux aussi. On distingue également la main qui lance le sortilège contre le Sphinx... Tu penses pouvoir nous en montrer plus ?

Nina acquiesce.

Que va-t-elle faire ? Je croyais connaître son pouvoir, qui est de renforcer celui des autres. En quoi consiste le deuxième pouvoir qu'évoquaient Walter et mademoiselle Rose ? Investir les énergies latentes, ça veut dire quoi ? Ramener les morts, comme Otchi ? Les faire parler ?

Deux pouvoirs… C'est franchement injuste ! Surtout quand ils s'ajoutent à un troisième, si évident : Nina est irrésistible. Elle est belle. Elle me fait craquer. C'est son pouvoir le plus redoutable, et de loin !

« Dis donc, elle craint, la description de mademoiselle Rose ! C'est ton portrait tout craché !

– Je sais, Ombe. Je sais… »

Nina nous fait signe de reculer contre le mur, celui de l'agence bancaire dont la vidéo a craché le morceau. Elle se concentre, ferme les yeux (à ma grande déception car je ne me lasse pas de les regarder, ils me font penser à une forêt…).

Une forêt dans laquelle on a envie de s'enfoncer et de se perdre... J'avance. Je ne sais pas où je vais, je suis simplement poussé par l'impérieux besoin d'avancer.

Mes sens de magicien se réveillent.

Au milieu d'arbres qui grimpent dans le ciel comme les colonnes d'un temple ancien, les effluves se font plus présents. Pesants. Enivrants...

Une magie subtile, inconsciente, naturelle, est en train d'agir dans la ruelle.

Doucement, répondant à la sollicitation des jolies mains qui les invitent à quitter le sol, des filaments d'énergie scintillants s'élèvent autour de Nina, tourbillonnent un moment puis s'agrègent, épousant des formes invisibles, révélant les contours de silhouettes de plus en plus précises.

Contre le mur opposé au nôtre, la femme dont parlait mademoiselle Rose est assise, en pleurs.

A l'entrée de la ruelle, le Sphinx reste reconnaissable entre tous, trapu, impressionnant.

Dans son dos, surgissant de l'ombre, un garçon habillé comme moi, utilisant les mêmes gestes que les miens et adoptant une démarche similaire, jette sur l'armurier les feux terribles d'un sortilège.

C'est magnifique. Effrayant et magnifique.

De l'art, à l'état brut.

Et puis tout s'éteint.

Nina s'effondre sur elle-même et glisse sur le sol.

Je me précipite, je la prends dans mes bras.

Elle respire. Faiblement, mais elle respire. Quelle quantité d'énergie a-t-elle dépensée pour ces quelques secondes de lumière ?

– Nina… Tu m'entends ?

– Ce n'est pas toi, Jasper, articule-t-elle faiblement, le visage éclairé par un sourire radieux.

– Mais si, Nina, c'est moi ! Ne t'inquiète pas, je suis là.

– Ce n'est pas toi… qui as tué le Sphinx, corrige-t-elle dans un souffle avant de s'évanouir pour de bon.

– Nina ? Reste avec moi ! Nina !

– Pousse-toi, Jasper, me lance Walter en prenant ma

place. Cette petite a besoin de quelqu'un capable de lui redonner de l'énergie, pas de lui en prendre.

J'obéis et recule, sonné.

Derrière moi, les deux mercenaires ont baissé leur arme.

Mademoiselle Rose, très pâle, se mord les lèvres.

– L'assassin…, je balbutie, il s'appelle Romuald. Il est en classe avec moi…

Ma gorge se serre, je n'arrive pas à en dire davantage.

« Ombe ! C'était Romu ! Mon pote ! Romu le timide, que je connais depuis l'école primaire ! Romu, un mage et un meurtrier… En plus, il a essayé de me coller ça sur le dos ! C'est complètement dingue !

– La femme en pleurs dans la ruelle… Merde, Jasp, c'était Lucile ! Ma colocataire !

– Ta… colocataire ? Qu'est-ce que ça veut dire, Ombe ?

– Qu'on est en train de devenir fous, Jasper. Je ne vois pas d'autre explication. »

Lettre au néant

Chère Lucile, cher Romuald,

C'était votre première mission et vous l'avez brillamment réussie ! Montée de main de maître, parfaitement menée ! La formation que vous avez reçue porte enfin ses fruits.

Si la tâche à accomplir reste grande, avec vous à mes côtés, je me sens désormais plus fort.

La décision de tuer le Sphinx n'a pas été facile à prendre. Mais il fallait à tout prix que l'Ennemi soit neutralisé et c'est chose faite, maintenant qu'il est accusé de ce forfait. Nous pouvons nous concentrer à nouveau sur l'essentiel : le renforcement de la Barrière…

Je ne suis pas en mesure de vous féliciter moi-même. Je dois rester à l'abri pendant quelque temps encore. Mais sachez-le : je suis très fier de vous !

Fulgence

Épilogue

Nina a été prise en charge par une unité de secours d'urgence.

On a évidemment fabriqué un mensonge sur mesure ; le mensonge semble être, en définitive, la spécialité de l'Association !

Article 10 : « L'Association mentira aux Agents qui menti-ront à l'Association. » Il est temps maintenant d'affronter Walter et mademoiselle Rose.

Je dis affronter, non parce que je crains un mauvais coup ou une engueulade – j'ai été définitivement lavé de tout soupçon par le pouvoir nécromancien de Nina. Mais j'ai peur d'éprouver, en regardant mes deux mentors, une terrible déception.

Pire que ça, du dégoût…

– Jasper, je… nous…, commence Walter, le souffle haché, tandis que nous quittons la ruelle à la suite de l'ambulance.

– Vous n'y êtes pour rien, Walter, le coupe mademoiselle Rose. Vous n'avez jamais cru à la culpabilité de Jasper. Tout est ma faute. J'ai foncé droit dans le piège. Ma peine pour le Sphinx a brouillé mon jugement.

Elle se tourne vers moi et plonge ses yeux dans les miens.

– Je veux que tu saches, Jasper, que je m'en veux terriblement de t'avoir cru capable d'assassiner le Sphinx. Ensuite… Eh bien, si j'avais eu les preuves irréfutables de ta culpabilité, je n'aurais pas hésité à te tuer de ma propre main. Malgré toute l'affection que je te porte.

– Rose ! s'exclame Walter d'une voix faible.

– Ce n'est pas grave, Walter, je dis. J'ai l'habitude du franc-parler de mademoiselle Rose.

– Mon garçon, reprend-il en s'asseyant sur un banc couvert de graffitis. Je suis le premier à regretter les événements de ces derniers jours. Être possédé par un démon n'est pas une partie de plaisir, crois-moi. Et perdre un ami, – ou une amie – est terrible, tu en sais quelque chose. Nous avons tous énormément souffert et cette souffrance a obscurci nos jugements. Il est temps de régler ce contentieux une bonne fois pour toutes et de repartir sur des bases saines.

J'ai envie de les envoyer balader, lui, mademoiselle

Rose et l'Association. Mais la franchise que je devine clairement chez Walter m'en empêche. J'ai dit à Ombe que je ne fuirais plus ; c'est le moment de commencer.

– Je suis d'accord, à condition que toutes mes questions trouvent une réponse ici et maintenant, j'annonce sur un ton de défi.

Ils se consultent brièvement du regard avant d'accepter d'un signe de tête. Je comprends alors qu'ils sont réellement prêts à tout pour recoller les morceaux.

– Qui a construit le sortilège qui protège la porte, rue du Horla ? j'attaque en guise de test (c'est la première question qui m'est venue).

– Une assemblée de trente-sept mages liés à l'Association, répond immédiatement mademoiselle Rose. Le sortilège ne concerne pas seulement la porte ; l'immeuble tout entier en bénéficie.

Mon cœur s'accélère. Test réussi ! Car, aussi sûr que je m'appelle Jasper, mademoiselle Rose vient de me dire la vérité. Ses yeux n'ont pas cillé…

– L'honnêteté voudrait qu'on puisse te poser nous aussi des questions, intervient Walter, qui a perdu ses forces dans la caverne mais pas le nord.

– D'accord, mais vous comptez pour un tous les deux, je précise.

– Durée de temps limitée, ajoute mademoiselle Rose en retrouvant son ton sec de secrétaire de l'Association.

– C'est à notre tour, dit Walter. Que faisais-tu dans les sous-sols de l'hôtel Héliott ?

– Je suivais la trace d'Otchi, le chamane. Je savais qu'il vous cherchait et il m'a conduit jusqu'à vous. Enfin, jusqu'à la chose démoniaque que vous abritiez !

– Tu as assisté à la bataille dans la caverne ? s'étonne mademoiselle Rose. Sans te manifester ?

– Pas si vite ! C'est à moi de poser une question.

J'hésite un instant.

Est-ce que je dois parler de l'évolution de mes pouvoirs magiques ? Ombe m'a donné la clé des changements qui affectent mon corps, un corps de plus en plus endurant, plus fort et plus rapide, insensible au froid et réceptif au *heavy metal* ; mais pas celle de ma maîtrise croissante des arcanes, ni celle de l'embrasement qui m'a débarrassé à la fois des menottes et du couple Séverin-Trulez.

Il reste également la question des rêves rouges…

Et de ma réaction inattendue face à Otchi l'exorciste.

Mais j'ai une autre question qui m'intrigue depuis plus longtemps.

– Vous avez envoyé vos mercenaires avenue Mauméjean pour me capturer alors que vous me croyiez coupable.

– Oui. Et toi tu…

– Je n'ai pas fini ! Pourquoi des mercenaires et pas des Agents ?

Walter et mademoiselle Rose se regardent, gênés.

– C'est un des secrets les mieux gardés de l'Association, Jasper.

– Un accord est un accord!

– Nous le tiendrons, confirme gravement mademoiselle Rose. Simplement, tu vas donner ta parole que tu ne révéleras jamais ce que tu as entendu, ce que tu entends et ce que tu entendras ici. Promets!

Je lève la main (elle n'en demandait certainement pas tant) et je jure.

– Très peu d'Agents travaillent pour l'Association, avoue-t-elle dans un soupir.

– Très peu... Ça veut dire combien?

– Dans l'antenne parisienne, seulement Walter et moi, maintenant que le Sphinx est mort.

– Hein?!

« Hein?! »

Je n'en crois pas mes oreilles. Ombe non plus, visiblement!

« Elle se moque de nous, là, non?

– Elle n'en a pas l'air! »

J'insiste:

– Je ne comprends pas... Pourquoi ne pas avoir promu plus rapidement des Agents stagiaires, dans ce cas?

– Parce qu'un nombre infime d'entre eux en ont les capacités, soupire Walter. Si l'on excepte Ombe et toi, seuls Jules et Nina possèdent de véritables aptitudes.

Les autres sont à peine capables, dans le meilleur des cas, de faire friser des cheveux ou tourner du lait !

Je suis abasourdi.

– Que deviennent les autres stagiaires, à la fin de leur formation ?

– Soit des Auxiliaires, du genre de ceux que tu as croisés à plusieurs reprises et que tu appelles mercenaires, soit rien du tout, confesse mademoiselle Rose d'une voix tranquille. Ils sont rendus à leur vie normale. Une fois leurs souvenirs effacés, bien entendu.

– Cela n'a pas toujours été ainsi, précise Walter. Avant, nous avions le choix. Les talents n'étaient pas rares. Mais il semble que le groupe des Paranormaux se réduise petit à petit, en même temps que s'amenuisent et disparaissent les pouvoirs qui font leur particularité.

J'en reste pantois.

Je veux demander pourquoi Ombe et moi possédons des pouvoirs aussi puissants, alors que ceux de l'ensemble des Paranormaux déclinent ; mais mademoiselle Rose enchaîne :

– Quel rôle as-tu joué dans le massacre des vampires du manoir ?

– Aucun ! J'ai découvert la tuerie juste avant de délivrer Nina et la famille de Normaux prisonnières à l'étage.

Elle semble surprise.

Pas autant que moi quand une nouvelle succession de

flashes rouges s'emparent de ma cervelle pour y déposer les images d'une **affreuse tuerie,** semblable en bien des points à celle du manoir...

Je secoue violemment la tête pour les chasser.

– Jasper ? me demande mademoiselle Rose. Tu vas bien ?

– Oui, euh c'est juste un peu de fatigue... Lorsque Ernest Dryden a essayé de me tuer avec son Taser trafiqué, il m'a dit qu'il travaillait pour l'Association. Est-ce qu'il mentait ? Et pourquoi s'est-il acharné sur Ombe et moi ?

– Tu viens de poser deux questions mais soit, répond Walter. Non, Dryden ne mentait pas. Il travaillait pour la MAD, une milice dépendant de l'Association – plus précisément de Fulgence, l'homme qui dirige l'ensemble de notre Organisation depuis le bureau de Londres. Cette milice est chargée de traquer les démons infiltrés dans notre dimension, ainsi que leurs serviteurs.

Mon cœur s'arrête.

– Pourquoi Ombe et toi étiez-vous visés ? continue-t-il.

Des **flashes de lumière rouge...** Des **lambeaux de souvenirs.** De **rêves perdus...**

– Puisque nous jouons au jeu de la vérité, la voici : nous n'en savons rien.

Moi, je sais.

Je sais que les tests auxquels l'Association nous a soumis, Ombe et moi, n'ont pas fonctionné.

Un éblouissement brûlant.

Des mots dépourvus de sens traversent mon cerveau…

Noir corbeau...

Voleur de nuages...

L'eau pâle...

Qui court et qui ronge...

La terre qui se tord...

Rivage glacé...

Même si Ombe semble l'ignorer, je sais pourquoi elle et moi sommes liés dans l'odeur du soufre.

La rouge saveur du soufre...

Il ne manque plus qu'une pièce pour terminer le puzzle et voir l'image apparaître tout entière…

– Le temps est presque écoulé, Jasper, me prévient mademoiselle Rose.

Est-ce que je dois leur dire ?

Leur dire, puisqu'ils n'ont pas su le découvrir, que leur pire ennemi se tient peut-être devant eux ? Peut-être.

– Nous avons chacun droit à une dernière question, annonce Walter en se tournant vers moi. Tu veux commencer ?

La dernière pièce.

L'ultime.

Pour que la lumière soit.

– Qu'est-ce que..., je demande d'une voix tremblante qui m'attire les regards étonnés de mes deux mentors. Qu'est-ce que la Barrière ?

– Tes questions touchent juste, admet Walter, admiratif. Il s'agit là encore d'un des grands secrets de notre Organisation.

Un grand secret...

Il ne sera jamais aussi grand que celui qui vient de m'échoir.

– Notre monde n'est pas unique. L'univers est en réalité un multivers. Tu te rappelles les cours de mademoiselle Rose ?

Je hoche la tête en déglutissant.

– Si ces mondes entraient en contact les uns avec les autres, les conséquences seraient terribles, poursuit-il. Parce que certains d'entre eux ont une nature prédatrice et verraient volontiers les portes s'ouvrir. C'est pour cela que les autres mondes se protègent en érigeant des barrières. Notre Barrière, à nous les hommes, ce sont les Anormaux.

– En protégeant les Anormaux, poursuit mademoiselle Rose, l'Association protège les Normaux et préserve notre monde de la convoitise des espaces dimensionnels belliqueux.

– Tu comprends, Jasper, l'importance de notre rôle ?

me demande Walter en me décochant l'un de ses bons vieux sourires paternels.

Et comment que je comprends ! Quelqu'un cherche à faire tomber la Barrière et à livrer notre monde à l'appétit des démons...

J'ignore encore le rôle qui sera le mien dans cette bataille. Mais j'ai l'intime conviction qu'il dépend entièrement des minutes qui vont suivre.

– À mon tour de poser la dernière question, annonce mademoiselle Rose.

Ne vous trompez pas, s'il vous plaît.

Dites que vous voulez toujours de moi.

Ne faites pas de moi votre ennemi.

Il suffirait de si peu de chose pour faire pencher la balance...

Ou alors jetez-vous sur moi, attachez-moi solidement, empêchez-moi de faire du mal !

– Jasper...

S'il vous plaît, mademoiselle Rose, s'il vous plaît !

– Nous accordes-tu ta confiance, malgré ce qui s'est passé ? Es-tu encore des nôtres ?

Je lâche un long, un très long soupir.

Les dés sont jetés.

Je lutterai aux côtés de l'Association.

Contre ses ennemis.

Contre moi-même, s'il le faut.

– Oui, je hoquette.

Walter et mademoiselle Rose sourient.

Ils vont m'emmener rue du Horla, me préparer un chocolat chaud, écouter et noter soigneusement mon rapport.

Sans se douter de ce que je suis.

De ce que j'ai fait et suis capable de faire encore.

« Ombe, ma sœur Ombe, ne vois-tu rien venir ?

– Je ne vois que la route qui poudroie, Jasper. L'horizon est voilé !

– Ensemble, hein ? Pour le meilleur…

– … et pour le pire. Tu peux compter sur moi, petit frère. Toujours. »

Découvrez un extrait de la suite des aventures de Jasper, à paraître en octobre 2012 :

Le regard brûlant des étoiles
Erik L'Homme

Je cligne des yeux. J'étais à nouveau perdu dans mes pensées et me voilà dans une rue que je ne pensais jamais revoir.

– La rue Muad'Dib, je murmure.

« Ma rue, Jasper.

– Ta rue, Ombe. Tu sais, je persiste à croire que ce n'est pas une bonne idée…

– Cet appartement, c'est la dernière trace de mon existence. Je suis curieuse. Je me demande ce que je vais ressentir. »

Gaston Saint-Langers écrivait : « Ce qu'une femme veut tous les jours obtient toujours. » Je ne sais pas ce qu'en pensait Hiéronymus, mais je n'ai pas besoin d'un troll pour savoir que ce qui est vrai pour une femme l'est doublement pour Ombe. Donc, je baisse les bras.

« On monte, alors ?

– Tu sais parler aux filles, toi ! Oui, on monte. Il y aura peut-être un ou deux trucs que je pourrais récupérer et mettre dans notre… dans ta chambre, Jasp. Si ça ne te dérange pas.

– Ça ne me dérange pas. Allez, en route pour une bonne vieille séquence nostalgie !

– Tu es bête. »

Elle est ravie.

Devant son épicerie, Khaled fume une cigarette en se dandinant d'un pied sur l'autre, à cause du froid. Je sens qu'Ombe voudrait dire quelque chose, mais elle se retient. Ça doit être un vrai supplice de ne pas pouvoir parler aux gens. D'exister pour une unique personne.

Un seul être vous mange et tout est dépleuplé...

Je traverse la rue et m'arrête devant le numéro 45: une porte en bois à la peinture écaillée, dont le digicode est hors d'usage depuis une éternité.

Je pénètre dans le hall. Une odeur d'épices à couscous me saisit à la gorge et ne me lâche plus tout au long des quatre étages que je grimpe sans m'en rendre compte.

Par les antennes de Fafnir... La dernière fois que je suis venu ici, j'étais traqué par l'Association et par la MAD, et je charriais un sac énorme en transpirant comme un malade! C'était il y a une semaine – une année.

C'était avant que je sois capable de courir des heures sans m'essouffler.

Avant que je perde la notion du froid et du chaud.

Sur le palier, j'hésite. Comment est-ce que je vais entrer? Avec un sortilège, un coup de pied dans la serrure? A tout hasard, je frappe à la porte, reconnaissable entre toutes à son smiley géant.

Bien m'en prend car j'entends à l'intérieur des bruits de pas. Grincement du verrou: une jeune fille m'ouvre, le visage inondé de larmes.

« *C'est Laure!* me prévient Ombe. *Ma colocataire!* »

La brunante, donc.

« Oh, Jasper ! Ça me fait tellement bizarre de la revoir ! J'aimerais la prendre dans mes bras ! Lui dire que... lui dire que...

– Tu as ressenti la même chose en voyant Khaled, hein ? »

Ombe ne répond pas. J'ai touché juste.

Je m'intéresse de plus près à Laure. Laure est très jolie. Plutôt petite, les cheveux longs et les yeux noisette.

« Ça y est, Terminator ? Tu as fini de scanner mon amie ?

– Du calme, Ombe. Je regarde, c'est tout. Il n'y a pas de mal.

– Ouais. Bas les pattes quand même. Tu es peut-être mon frère mais Laure est presque une sœur. Ça aurait comme un goût d'inceste, à mes yeux.

– Au cas où tu l'aurais oublié, je suis le roi des rateaux avec les filles.

– Laure craque facilement pour les garçons. C'est un vrai cœur d'artichaud.

– Ah ?

– Et puis tu dis n'importe quoi, il t'arrive d'avoir du succès. Regarde Nina...

– C'est vrai que la tendance s'inverse, depuis quelque temps. »

Le regard interrogateur de l'ancienne colocataire d'Ombe m'arrache à mon inventaire à la pervers. Je rassemble mes esprits et fais un joli sourire.

– Bonjour! Je m'appelle Jasper. Je suis… un parent d'Ombe.

Impossible d'employer l'imparfait pour évoquer ma sœurette.

– Moi je m'appelle Laure, répond-elle avec une voix chantante aux accents du sud, entrecoupée de sanglots. J'étais sa colocataire. Je suis venu récupérer mes affaires.

Effectivement, derrière elle, deux gros sacs attendent d'être empoignés. Et puis, comme si elle comprenait seulement ce que je viens de lui dire:

– Un parent? Tu es peut-être son cousin? Le fils de Walter?

J'ai besoin de toute ma concentration pour ne pas trahir ma surprise.

– Vous… tu connais Walter? je demande le plus naturellement du monde, en basculant tout de suite sur le tutoiement – au risque de me faire tue-moi-er par Ombe.

– Ombe m'avait confié le numéro de téléphone de son oncle Walter, acquièsce Laure en hochant vigoureusement la tête. Je sais que ce n'est pas son vrai oncle mais le frère de la responsable de son dernier foyer d'accueil – parce qu'Ombe est orpheline, hein? C'est la personne qu'Ombe m'a demander de contacter en cas de malheur.

– Laure reprend son souffle avant de terminer:

– Elle ne m'a, par contre, jamais parlé de toi…

À suivre…

L'aventure continue !

déjà parus

1. La pâle lumière des ténèbres

Erik L'Homme

2. Les limites obscures de la magie

Pierre Bottero

3. L'étoffe fragile du monde

Erik L'Homme

4. Le subtil parfum du soufre

Pierre Bottero

5. Là où les mots n'existent pas

Erik L'Homme

6. Ce qui dort dans la nuit

Erik L'Homme

à paraître en octobre 2012

8. Le regard brûlant des étoiles

Erik L'Homme